PARIS GRANDS AXES

BUS-MÉTRO-TRAMWAY-RER

SENS UNIQUES-PARKINGS

STATIONS DE TAXIS

STATIONS VÉLIB'

RUES PIÉTONNES

LA DÉFENSE

INDEX DES RUES

RENSEIGNEMENTS PRATIQUES

Cartes - Plans - Guides
40 - 48, rue des Meuniers
93108 MONTREUIL CEDEX (FRANCE)
Tél.: 33 (0)1 49 88 92 10 - Fax : 33 (0)1 49 88 92 09
w w w . b l a y f o l d e x . c o m

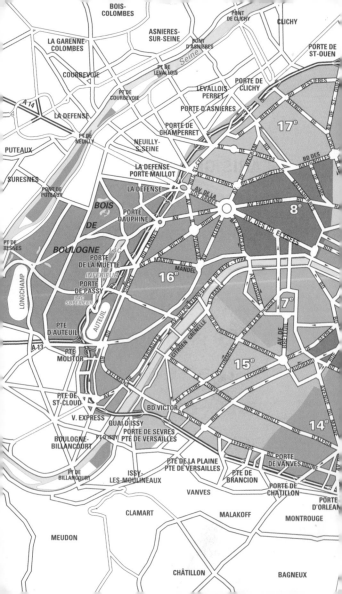

PARIS

SOMMAIRE

2	**Paris grands axes**
5 - 48	Liste alphabétique des rues
49	**Légende**
50 - 109	Plans d'arrondissements
110 - 111	**Plan du Bois de Boulogne**
112 - 113	Plan du Bois de Vincennes
114 - 115	**Plan de la Défense**
116 - 123	Renseignements pratiques
124 - 125	**Plan des Bus**
126 - 127	Plan du Métro et du Tramway
128	**Plan du RER**

Cartes - Plans - Guides
40 - 48, rue des Meuniers
93108 MONTREUIL CEDEX (FRANCE)
Tél.: 33 (0)1 49 88 92 10 - Fax : 33 (0)1 49 88 92 09
w w w . b l a y f o l d e x . c o m

PARIS

LISTE ALPHABÉTIQUE DES RUES

STREET INDEX

STRASSENVERZEICHNISS

INDICE DELLE STRADE

STRAATNAMENREGISTER

plan	arr.	appellation	métro RER tramway
		A	
V 10	6	Abbaye (de l')	St-Germain-des-P.
M 15	14	Abbé-Basset (pl.de l')	Cardinal-Lemoine
H 10	14	Abbé-Carton (de l')	Plaisance
L 14	5	Abbé-de-l'Épée (de l')	Luxembourg
P 4	16	Abbé-Franz-Stock	Pte de St-Cloud
D 11	13	Abbé-Georges-Hénocque (pl. de l')	Tolbiac
	16	Abbé-Gillet	Passy
	6	Abbé-Grégoire (de l')	St-Placide
	14	Abbé-Jean-Lebeuf (pl. de l')	Pernety
	4	Abbé-Migne (de l')	Rambuteau
	18	Abbé-Patureau (de l')	Lamarck-Caul.
	11	Abbé-Roger-Derry (de l')	La Motte-Picquet
	17	Abbé-Roussel (av. de l')	Egl. d'Auteuil
	17	Abbé-Rousselot (de l')	Pereire
	14	Abbé-Soulange-Bodin (de l')	Pernety
	14	Abbesses (pass. des)	Abbesses
	18	Abbesses (pl. des)	Abbesses
	18	Abbesses (des)	Abbesses
	9/10	Abbeville (d')	Poissonnière
	12	Abel	Gare de Lyon
	16	Abel-Ferry	Pte de St-Cloud
	13	Abel-Gance	Quai de la Gare
	13	Abel-Hovelacque	Pl. d'Italie
	12	Abel-Leblanc (pass.)	Reuilly-Diderot
	11	Abel-Rabaud	Goncourt
	17	Abel-Truchet	Pl. de Clichy
	2	Aboukir (d')	Sentier, Strasbourg-St-Denis
	18	Abreuvoir (de l')	Lamarck-Caul.
	17	Acacias (pass. des)	Ternes
	17	Acacias (des)	Argentine
	11	Acadie (pl. of l')	Mabillon
	20	Achille	Gambetta
	14	Achille-Luchaire	Pte d'Orléans
	18	Achille-Martinet	Lamarck-Caul.
	5	Adanson (sq.)	Censier-Daubenton
	20	Adjudant-Réau (de l')	Pelleport
	20	Adjudant-Vincenot (pl.)	St-Fargeau
	4	Adolphe-Adam	Châtelet
	14	Adolphe-Chérioux	Vaugirard
	14	Adolphe-Focillon	Alésia
	1	Adolphe-Jullien	Louvre
	9	Adolphe-Max (av.)	Pl. de Clichy
	3	Adolphe-Mille	Ourcq
	14	Adolphe-Pinard (bd)	Pte de Vanves
	18	Adolphe-Yvon	Av. H.-Martin
	19	Adour (villa de l')	Jourdain
	16	Adrien-Hébrard (av.)	Jasmin
	9	Adrien-Oudin (pl.)	Chaussée-d'Antin
V 10	20	Adrienne (cité)	A.-Dumas
M 15	14	Adrienne (villa)	Mouton-Duvernet
H 10	7	Adrienne-Lecouvreur (allée)	Ecole Militaire
L 14	14	Adrienne-Simon (villa)	Denfert-Roch.
P 4	18	Affre	La Chapelle
D 11	16	Agar	Jasmin
N 5	9	Agent-Bailly (de l')	Cadet
Q 17	4	Agrippa-d'Aubigné	Sully-Morland
K 7	8	Aguesseau (d')	Madeleine
L 15	14	Aide-Sociale (sq. de l')	Gaîté
U 5	19	Aigrettes (villa des)	Danube
O 2	18	Aimé-Lavy	Jules-Joffrin
G 5	17	Aimé-Maillard (pl.)	Ternes
O 18	13	Aimé-Morot	Pte d'Italie
T 3	19	Aisne (de l')	Crimée
R 7	10	Aix (d')	Goncourt
J 10	7	Ajaccio (sq. d')	
K 14	14	Alain	Pernety
G 14	14	Alain-Chartier	Convention
H 16	14	Alain-Fournier (sq.)	Pte de Vanves
G 11	15	Alasseur	La Motte-Picquet
P 6	10	Alban-Satragne (sq.)	Gare de l'Est
D 9	13	Alberic-Magnard	La Muette
R 17	13	Albert	Olympiades
G 16	15	Albert-Bartholomé (av.)	Pte de Vanves
G 16	15	Albert-Bartholomé (sq.)	Georges Brassens
P 15	13	Albert-Bayet	Pl. d'Italie
R 6	17	Albert-Camus	Colonel Fabien
D 14	15	Albert-Cohen (pl.)	Bd Victor
R 15	13	Albert-Cohen	Bibliothèque François Mitterrand, Chevaleret
J 12	7	Albert-de-Lapparent	Ségur
F 9	16	Albert-de-Mun (av.)	Trocadéro
T 16	13	Albert-Einstein	Bibliothèque François Mitterrand
O 2	18	Albert-Kahn (pl.)	Simplon
Q 17	13	Albert-Londres (pl.)	Maison-Blanche
X 13	12	Albert-Malet	Bel-Air
W 10	20	Albert-Marquet	Maraîchers
J 8	8	Albert-1er (cours)	Alma-Marceau
F 9	16	Albert-1er-de-Monaco (av.)	Trocadéro
U 5	19	Albert-Robida (villa)	Botzaris
H 3	17	Albert-Roussel	Pte de Champerret, Pte de Clichy
G 4	17	Albert-Samain	Pte de Champerret
K 17	14	Albert-Sorel	Pte d'Orléans
Q 7	11	Albert-Thomas	République
X 12	12	Albert-Willemetz	St-Mandé
O 17	13	Albin-Cachot (sq.)	Glacière
O 17	13	Albin-Haller	Maison-Blanche
T 13	12	Albinoni	Montgallet
E 10	16	Alboni (de l')	Passy

plan	arr.	appellation	métro RER tramway
F 10	16	Alboni (sq. de l') Passy	
M 16	14	Alembert (d') Mouton-Duvernet	
K 12	15	Alençon (d') Montparnasse-B.	
M 16	14	Alésia (d') Glacière, Alésia, Plaisance	
L 16	14	Alésia (villa d') Alésia	
W 5	19	Alexander-Fleming Pré-St-Gervais	
K 13	15	Alexandre (pass.) Pasteur	
H 12	15	Alexandre-Cabanel Cambronne	
F 4	17	Alexandre-Charpentier Pte de Champerret	
S 3	19	Alexandre-de-Humboldt Crimée	
V 10	11/20	Alexandre-Dumas A.-Dumas, Rue des Boulets	
N 1	18	Alexandre-Lécuyer (imp.) Pte de Clignancourt	
Q 5	19	Alexandre-Parodi Louis-Blanc	
U 5	19	Alexandre-Ribot (villa) Danube	
C 13	16	Alexandre-Tansman (villa) Chardon-Lagache, Exelmans	
P 17	13	Alexandre-Vialatte (allée) Maison-Blanche	
J 9	7/8	Alexandre-III (pt) Invalides	
O 8	2	Alexandrie (d') Réaumur-Séb.	
T 10	11	Alexandrine (pass.) Charonne	
D 10	16	Alfred-Bruneau La Muette	
B 11	16	Alfred-Capus (sq.) Pte d'Auteuil	
C 9	16	Alfred-Dehodencq La Muette	
C 9	16	Alfred-Dehodencq (sq.) La Muette	
H 5	8/17	Alfred-de-Vigny Courcelles	
F 12	15	Alfred-Dreyfus (place) Av. Emile Zola	
H 16	14	Alfred-Durand-Claye Pte de Vanves	
Q 18	13	Alfred-Fouillée Pte de Choisy	
O 13	5	Alfred-Kastler (pl.) Place Monge	
G 4	17	Alfred-Roll Pereire	
F 11	15	Alfred-Sauvy (pl.) Dupleix	
N 5	9	Alfred-Stevens (pass.) Pigalle	
N 5	9	Alfred-Stevens Pigalle	
R 12	12	Alger (cour d') Quai de la Rapée	
L 8	1	Alger (d') Tuileries	
V 5	19	Algérie (bd d') Pré-St-Gervais	
R 7	10	Alibert République	
J 16	15	Alice (sq.) Didot	
S 16	13	Alice-Domon-Léonie-Duquet Bibliothèque François Mitterrand	
S 12	11	Aligre (pl. d') Ledru-Rollin	
S 11	11	Aligre (d') Ledru-Rollin	
B 11	16	Aliscamps (sq. des) Pte d'Auteuil	
X 13	12	Allard St-Mandé-Tour.	
M 10	7	Allent Rue du Bac	
H 14	15	Alleray (ham. d') Vaugirard	
H 14	15	Alleray (pl. d') Vaugirard	
H 14	15	Alleray (d') Vaugirard	
T 1	19	Allier (q. de l') Pte de la Villette	
H 9	7	Alma (cité de l') Pont de l'Alma	
H 8	8/16	Alma (pl. de l') Alma-Marceau	
H 9	7/8/16	Alma (pt de l') Alma-Marceau	
P 8	3	Alombert (pass.) Arts-et-Métiers	
T 5	19	Alouettes (des) Botzaris	
P 15	13	Alpes (pl. des) Pl. d'Italie	
E 6	16	Alphand (av.) Pte Maillot	
O 16	13	Alphand Corvisart	
T 7	20	Alphonse-Allais Pré-St-Gervais	
V 5	19	Alphonse-Aulard Pré-St-Gervais	
R 9	11	Alphonse-Baudin Richard-Lenoir	
J 14	13	Alphonse-Bertillon Plaisance	
L 16	14	Alphonse-Daudet Alésia	
H 4	17	Alphonse-de-Neuville Wagram	
L 12	6	Alphonse-Deville (pl.) Sèvres-Babylone	
E 12	15	Alphonse-Humbert (pl.) Javel	
S 2	19	Alphonse-Karr Corentin-Cariou	
N 13	5	Alphonse-Laveran (pl.) Port-Royal	
W 8	20	Alphonse-Penaud St-Fargeau	
E 10	16	Alphonse-XIII (av.) Passy	
W 9	20	Alquier-Debrousse (all.) Pte de Bagnolet	
P 5	19	Alsace (d') Gare de l'Est	
U 5	19	Alsace (villa d') Botzaris	
U 12	12	Alsace-Lorraine (cour d') Montgallet	
U 4	19	Alsace-Lorraine (d') Danube	
U 5	19	Amalia (villa) Danube	
T 8	20	Amandiers (des) Père-Lachaise	
N 7	2	Amboise (d') Richelieu-Drouot	
L 17	14	Ambroise-Croizat (pl.) Pte d'Orléans	
P 5	19	Ambroise-Paré Barbès-Roch.	
U 4	19	Ambroise-Rendu (av.) Danube	
O 6	17	Ambroise-Thomas Poissonnière	
T 15	12	Ambroisie (de l') Cour St-Emilion	
F 15	15	Amédée Gordini (pl.) Pte de Versailles	
H 10	7	Amélie Latour-Maubourg	
V 7	20	Amélie (villa) St-Fargeau	
R 9	11	Amelot Chemin-Vert, St-Sébastien-Froissart, Filles-du-Calvaire	
T 11	11	Ameublement (cité de l') Faidherbe-Chal.	
V 8	20	Amélie Lebaudy (square) Pelleport	
W 9	20	Amiens (sq. d') Pte de Bagnolet	
E 6	16	Amiral-Bruix (bd de l') Pte Maillot, Pte Dauphine	
D 12	16	Amiral-Cloué (de l') Mirabeau	
E 7	16	Amiral-Courbet (de l') Victor-Hugo	
F 8	16	Amiral-d'Estaing (de l') Boissière	
N 9	1	Amiral-de-Coligny Louvre	
G 8	16	Amiral-de-Grasse (pl. de l') Boissière	
F 8	16	Amiral-de-Hamelin (de l') Boissière	
W 14	12	Amiral-La Roncière-Le Noury (de l') Pte Dorée	
N 17	13/14	Amiral-Mouchez (de l') Cité Universitaire	
G 13	15	Amiral-Roussin (de l') Zola, Vaugirard	
O 2	18	Amiraux (des) Simplon	
H 4	17	Ampère Wagram	
K 14	15	Amphithéâtre (pl. de l') Gaîté	
L 6	12	Amsterdam (imp. d') St-Lazare	
L 5	8/9	Amsterdam (d') St-Lazare, Liège, Pl. de Clichy	
O 13	5	Amyot Place Monge	
F 6	16	Anatole-de-la-Forge Argentine	
G 10	7	Anatole-France (av.) Ecole Militaire	
L 9	7	Anatole-France (quai) Musée d'Orsay	
N 11	6	Ancienne-Comédie (de l') Odéon	
P 8	3	Ancre (pass. de l') Réaumur-Séb.	
C 9	16	Andigné (d') La Muette	
D 10	16	Andorre (pl. d') La Muette	
M 4	18	André-Antoine Pigalle	
L 1	17	André-Bréchet Pte de St-Ouen	
O 9	1	André-Breton (all.) Les Halles	
M 5	9	André-Breton (pl.) Pigalle	
D 13	15	André-Chamson (esplanade) Balard, Lou...	
E 12	15	André-Citroën (quai) Javel, Bd Victor	
C 11	16	André-Colledebœuf Jasmin	
T 4	19	André-Danjon Ourcq	
O 4	18	André-del-Sarte Barbès-Roch.	
W 13	12	André-Derain Bel-Air	
N 16	13	André-Dreyer (sq.) Glacière	
S 4	19	André-Dubois Laumière	
J 14	15	André-Gide Volontaires	
N 5	9	André-Gill Pigalle	
M 12	6	André-Honnorat (pl.) Luxembourg	
D 13	15	André-Lefebvre Javel	
J 16	14	André-Lichtenberger (sq.) Pte de Vanves	
M 9	1	André-Malraux (pl.) Palais-Royal	
P 16	13	André-Masson (pl.) Tolbiac	
E 6	16	André-Maurois (bd.) Pte Maillot	
N 11	6	André-Mazet Odéon	

plan	arr.	appellation	métro RER tramway
	18	**André-Messager** *Jules-Joffrin*
	16	**André-Pascal** *Av. H.-Martin*
	19	**André-Pieyre-de-Mandiargues** *Maison-Bl.*
	14	**André-Rivoire** (av.) *Cité Universitaire*
	17	**André-Suarès** *Pte de Clichy*
	7	**André-Tardieu** (pl.) *St-François-Xavier*
	13	**André-Theuriet** *Georges Brassens*
	13	**André-Trannoy** (pl.) *Corvisart*
	18	**André-Voguet** *Pte d'Ivry*
	18	**Andrézieux** (all. d') *Marcadet-Pois.*
	9	**Andrieux** *Rome*
	18	**Androuet** *Abbesses*
	18	**Angélique-Compoint** *Pte de St-Ouen*
	18	**Angers** (imp. d') *Pte de St-Ouen*
	13	**Anglais** (imp. des) *Riquet*
	5	**Anglais** (des) *Maubert-Mutualité*
	11	**Angoulême** (cité d') *Parmentier*
	4	**Anjou** (q. d') *Sully-M., Pont Marie*
	8	**Anjou** (d') *Madeleine, St-Lazare*
	16	**Ankara** (d') *Av. du Pdt-Kennedy*
	20	**Annam** (d') *Gambetta*
	19	**Anne-de-Beaujeu** (allée) *Bolívar*
	19	**Annelets** (des) *Botzaris*
	14	**Annibal** (cité) *Alésia*
	16	**Annonciation** (d') *La Muette*
	14	**Anselme-Payen** *Volontaires*
11/20		**Antilles** (pl. des) *Nation*
	2	**Antin** (cité d') *Chaussée-d'Antin*
	8	**Antin** (imp. d') *Ch.-Élysées-C.*
	2	**Antin** (d') *Opéra*
	16	**Antoine-Arnauld** *Ranelagh*
	16	**Antoine-Arnauld** (sq.) *Ranelagh*
	15	**Antoine-Bourdelle** *Montparnasse-B.*
	1	**Antoine-Carême** (pass.) *Les Halles*
	14	**Antoine-Chantin** *Alésia*
	6	**Antoine-Dubois** *Odéon*
	12	**Antoine-Furetière** (pl.) *Porte Dorée*
	15	**Antoine-Hajje** (imp.) *Charles-Michels*
	12	**Antoine-Julien-Hénard** *Montgallet*
	20	**Antoine-Loubeyre** (cité) *Jourdain*
	16	**Antoine-Roucher** *Égl. d'Auteuil*
	12	**Antoine-Vollon** *Ledru-Rollin*
	16	**Antonin-Mercié** *Brancion*
	9	**Anvers** (pl. d') *Anvers*
		Apennins (des) *Brochant*
		Aqueduc (de l') *Louis-Blanc*
		Aquitaine (sq. d') *Pte de Pantin*
	14	**Arago** (bd) *Les Gobelins, St-Jacques, Denfert-Rochereau*
	13	**Arago** (sq.) *Glacière*
	5	**Arbalète** (rue de l') *Censier-Daubenton*
	1	**Arbre-Sec** (de l') *Pont-Neuf*
	14	**Arbustes** (des) *Pte de Vanves*
	8	**Arcade** (de l') *Madeleine, St-Lazare*
	17	**Arc-de-Triomphe** (de l') *Ch.-de-G.-Étoile*
	9	**Arc-en-Ciel** (de l') "Forum des Halles" *Châtelet-Les Halles*
	19	**Archereau** *Crimée*
	5	**Archevêché** (pt de l') *Maubert-Mutualité*
	5	**Archevêché** (q. de l') *Maubert-Mutualité*
	3/4	**Archives** (des) *Hôtel-de-Ville, Rambuteau*
	4	**Arcole** (pt d') *Cité*
	4	**Arcole** (d') *Cité*
	14	**Arcueil** (d') *Cité Universitaire*
		Ardennes (des) *Ourcq*
	5	**Arènes** (des) *Jussieu*
	8	**Argenson** (d') *Miromesnil*
		Argenteuil (d') *Pyramides*
	16	**Argentine** (d') *Argentine*
E 8	16	**Argentine** (cité de l') *Victor-Hugo*
T 2	19	**Argonne** (pl. de l') *Corentin-Cariou*
T 3	19	**Argonne** (d') *Corentin-Cariou*
N 8	2	**Argout** (d') *Sentier*
A 13	16	**Arioste** (de l') *Pte de St-Cloud*
K 9	7	**Aristide-Briand** *Assemblée Nationale*
M 4	15	**Aristide-Bruant** *Blanche*
J 14	15	**Aristide-Maillol** *Volontaires*
F 6	16	**Armaillé** (d') *Argentine*
M 2	18	**Armand** (villa) *Guy-Môquet*
T 5	19	**Armand-Carrel** (pl.) *Laumière*
S 5	19	**Armand-Carrel** *Laumière*
U 5	19	**Armand-Fallières** (villa) *Botzaris*
M 3	18	**Armand-Gauthier** *Lamarck-Caul.*
K 13	12	**Armand-Moisant** *Montparnasse-B.*
W 14	12	**Armand-Rousseau** (av.) *Pte Dorée*
M 4	18	**Armée-d'Orient** (de l') *Blanche*
E 5	17	**Armenonville** (d') *Pte Maillot*
J 14	15	**Armorique** (d') *Pasteur*
L 1	19	**Arnault-Tzanck** (pl.) *Pte de St-Ouen*
Q 9	3	**Arquebusiers** (des) *St-Sébastien-Froissart*
O 12	12	**Arras** (d') *Cardinal-Lemoine*
K 13	15	**Arrivée** (de l') *Montparnasse-B.*
Q 11	4	**Arsenal** (de l') *Bastille*
G 6	8	**Arsène-Houssaye** *Ch.-de-G.-Étoile*
J 13	14	**Arsonval** (d') *Pasteur*
T 12	12	**Artagnan** (d') *Reuilly-Diderot*
L 2	9	**Arthur-Brière** *Guy-Môquet*
R 7	10	**Arthur-Groussier** *Goncourt*
U 4	19	**Arthur-Honegger** (allée) *Pte de Pantin*
M 1	18	**Arthur-Ranc** *Pte de St-Ouen*
T 15	12	**Arthur-Rimbaud** (allée) *Quai Gare, Bibliothèque François Mitterrand*
U 5	19	**Arthur-Rozier** *Botzaris*
M 16	14	**Artistes** (des) *Alésia*
J 7	8	**Artois** (d') *St-Philippe-du-R.*
F 5	17	**Arts** (av. des) *Pte Maillot*
V 12	12	**Arts** (imp. des) *Nation*
K 14	12	**Arts** (pass. des) *Pernety*
M 10	1/6	**Arts** (pont des) *Pont-Neuf*
L 4	18	**Arts** (villa des) *La Fourche*
S 9	11	**Asile** (pass. de l') *St-Ambroise*
S 9	11	**Asile-Popincourt** (de l') *St-Ambroise*
K 6	6	**Assas** (d') *Rennes, N.-D. des Champs, Port-Royal*
K 14	14	**Asseline** *Pernety*
O 4	18	**Assommoir** (pl. de l') *Barbès-Roch.*
D 11	16	**Assomption** (de l') *Ranelagh*
K 6	8	**Astorg** (d') *St-Augustin*
K 13	15	**Astrolabe** (Villa de l') *Falguière*
L 6	9	**Athènes** (d') *Trinité*
S 6	19	**Atlas** (pass. de l') *Belleville*
S 6	19	**Atlas** (des) *Belleville*
M 7	9	**Auber** *Auber*
R 3	18/19	**Aubervilliers** (d') *Stalingrad, Riquet, Crimée*
G 5	17	**Aublet** (villa) *Pereire*
K 1	19	**Auboin** *Pte de St-Ouen*
T 14	12	**Aubrac** (de l') *Cour St-Emilion*
P 10	4	**Aubriot** *Hôtel-de-Ville*
U 10	20	**Aubry** (cité) *A.-Dumas*
O 9	19	**Aubry-le-Boucher** *Châtelet*
M 16	14	**Aude** (de l') *Alésia*
M 4	18	**Audran** *Abbesses*
R 12	12	**Audubon** *Gare de Lyon*
V 11	20	**Auger** *Avron*
H 10	7	**Augereau** *École Militaire*
R 14	13	**Augusta-Holmes** (pl.) *Quai de la Gare*
R 7	11	**Auguste-Barbier** *Goncourt*
T 1	19	**Auguste-Baron** (pl.) *Pte de La Villette*
G 11	15	**Auguste-Bartholdi** *Duplex*

plan	arr.	appellation	métro RER tramway
P 15	13	**Auguste-Blanqui** (bd)	*Pl. d'Italie, Corvisart, Glacière*
R 15	13	**Auguste-Blanqui** (villa)	*Nationale*
K 16	14	**Auguste-Cain**	*Pte d'Orléans*
F 14	15	**Auguste-Chabrières** (cité)	*Pte de Versailles*
F 14	15	**Auguste-Chabrières**	*Pte de Versailles*
W 10	20	**Auguste-Chapuis**	*Pte de Montreuil*
M 13	6	**Auguste-Comte**	*Luxembourg*
G 12	15	**Auguste-Dorchain**	*Commerce*
O 17	13	**Auguste-Lançon**	*Cité Universitaire*
T 10	11	**Auguste-Laurent**	*Voltaire*
C 13	16	**Auguste-Maquet**	*Exelmans*
T 9	20	**Auguste-Métivier** (pl.)	*Père-Lachaise*
L 14	14	**Auguste-Mie**	*Gaîté*
Q 17	13	**Auguste-Perret**	*Tolbiac*
J 16	14	**Auguste-Renoir** (sq.)	*Pte de Vanves*
G 7	16	**Auguste-Vacquerie**	*Kléber*
E 12	15	**Auguste-Vitu**	*Javel*
U 6	9	**Augustin-Thierry**	*Pl. des Fêtes*
M 6	9	**Aumale** (d')	*St-Georges*
Q 16	13	**Aumont**	*Tolbiac*
F 4	17	**Aumont-Thiéville**	*Pte de Champerret*
E 5	17	**Aurelle-de-Paladines** (d')	*Pte Maillot*
Q 12	5/12/13	**Austerlitz** (pt d')	*Gare d'Austerlitz*
R 13	13	**Austerlitz** (port d')	*Gare d'Austerlitz, Quai de la Gare*
R 14	13	**Austerlitz** (q. d')	*Quai de la Gare, Gare d'Austerlitz*
Q 12	12	**Austerlitz** (d')	*Gare de Lyon*
Q 13	13	**Austerlitz** (cité d')	*Austerlitz*
F 10	15	**Australie** (promenade d')	*Champ de Mars*
A 12	16	**Auteuil**	*Pte d'Auteuil*
C 12	16	**Auteuil** (d')	*Michel-A-Auteuil*
D 12	16	**Auteuil** (port d')	*Mirabeau*
Q 11	15	**Ave-Maria** (de l')	*Pont-Marie*
T 8	11	**Avenir** (cité de l')	*Ménilmontant*
U 7	20	**Avenir** (de l')	*Pte des Fêtes*
F 6	16	**Avenue-du-Bois** (sq. de l')	*Argentine*
D 7	16	**Avenue-Foch** (sq.de l')	*Pte Dauphine*
G 3	17	**Aveyron** (sq. de l')	*Pereire*
G 12	15	**Avre** (de l')	*La Motte-Picquet*
V 11	20	**Avron** (d')	*Avron, Buzenval, Maraîchers, Pte de Montreuil*
N 4	18	**Azaïs**	*Abbesses*

B

plan	arr.	appellation	métro RER tramway
L 11	7	**Babylone** (de)	*Sèvres-Babylone, St-François-Xavier*
L 10	7	**Bac** (du)	*Bac, Sèvres-Babylone*
O 8	2	**Bachaumont**	*Sentier*
N 3	18	**Bachelet**	*Château-Rouge*
V 10	20	**Bagnolet** (de)	*A.-Dumas, Pte de Bagnolet*
N 3	18	**Baigneur** (du)	*Marcadet-Pois.*
N 9	1	**Baillet**	*Louvre*
N 9	1	**Bailleul**	*Louvre*
K 16	14	**Baillou**	*Alésia*
P 8	3	**Bailly**	*Arts-et-Métiers*
D 14	15	**Balard** (pl.)	*Balard*
D 14	15	**Balard**	*Javel, Balard*
S 8	11	**Baleine** (imp. de la)	*Couronnes*
W 9	20	**Balkans** (des)	*Pte de Bagnolet*
L 5	9	**Ballu**	*Pl. de Clichy*
L 5	9	**Ballu** (villa)	*Pl. de Clichy*
G 4	17	**Balny-d'Avricourt**	*Pereire*
O 9	1	**Baltard** (all.)	*Les Halles*
H 6	9	**Balzac**	*Georges-V*
N 8	2	**Banque** (de la)	*Bourse*
P 14	13	**Banquier** (du)	*Campo-F., les Gobelins*
Q 16	13	**Baptiste-Renard**	*Nationale*
T 3	19	**Barbanègre**	*Corentin-Cariou*

plan	arr.	appellation	métro RER tramway
O 3	18	**Barbès** (bd)	*Barbès-Roch., Château-Rouge, Marcadet-Pois.*
K 11	7	**Barbet-de-Jouy**	*Varenne*
Q 9	3	**Barbette**	*St-Paul*
G 10	7	**Barbey-d'Aurevilly** (av.)	*École Militaire*
D 12	15	**Barcelone** (pl. de)	*Mirabeau*
K 15	14	**Bardinet**	*Plaisance*
J 14	15	**Bargue**	*Volontaires*
L 2	17	**Baron** *Guy-Môquet*	
U 15	12	**Baron-Le-Roy**	*Cour St-Emilion*
O 16	13	**Barrault** (pass.)	*Corvisart*
O 16	13	**Barrault**	*Corvisart*
S 6	19	**Barrelet-de-Ricou**	*Bolivar*
P 10	4	**Barres** (des)	*Hôtel-de-Ville*
S 12	12	**Barrier** (imp.)	*Reuilly-Diderot*
L 3	18	**Barrière-Blanche** (de la)	*La Fourche, Guy-Môquet*
P 8	3	**Barrois** (pass.)	*Arts-et-Métiers*
R 4	10	**Barthélemy** (pass.)	*Stalingrad*
J 12	15	**Barthélemy**	*Sèvres-Lecourbe*
H 5	17	**Barye**	*Courcelles*
S 10	11	**Basfour**	*Réaumur-Séb.*
S 10	11	**Basfroi** (pass.)	*Voltaire*
S 10	11	**Basfroi**	*Voltaire*
V 7	20	**Basilide-Fossard** (imp.)	*Pelleport*
G 7	8/16	**Bassano** (de)	*George-V*
O 9	1	**Basse** (pl.) "Forum des Halles"	*Châtelet-Les Halles*
O 9	1	**Basse** "Forum des Halles"	*Châtelet-Les Hall...*
O 11	5	**Basse-des-Carmes**	*Maubert-Mutualité*
Q 11	4	**Bassompierre**	*Bastille*
R 5	19	**Baste**	*Bolivar*
C 12	16	**Bastien-Lepage**	*Michel-A.-Auteuil*
R 11	12	**Bastille** (bd de la)	*Quai de la Rapée, Bastille*
R 11	4/11/12	**Bastille** (pl. de la)	*Bastille*
R 11	11	**Bastille** (de la)	*Bastille*
R 5	10/19	**Bataille-de-Stalingrad** (pl. de la)	*Stalingrad*
S 13	12	**Bataillon-du-Pacifique** (pl.)	*Bercy*
P 11		**Bataillon-Français-de-l'ONU-en-Corée** (pl. du)	*Pont-Marie*
L 5	8/17	**Batignolles** (bds des)	*Pl. de Clichy, Rome, Villiers*
K 4	17	**Batignolles** (des)	*Rome*
D 10	16	**Bauches** (des)	*Ranelagh*
O 3	18	**Baudelique**	*Simplon*
R 15	13	**Baudoin**	*Chevaleret*
P 10	4	**Baudoyer** (pl.)	*Hôtel-de-Ville*
P 17	13	**Baudran** (imp.)	*Tolbiac*
Q 16	13	**Baudricourt** (imp.)	*Olympiades*
Q 16	13	**Baudricourt**	*Olympiades*
K 15	14	**Bauer** (cité)	*Pernety*
T 13	12	**Baulant**	*Dugommier*
W 8	20	**Baumann** (villa)	*Pelleport*
G 13	15	**Bausset**	*Vaugirard*
H 8	8	**Bayard**	*F.-D.-Roosevelt*
G 5	17	**Bayen**	*Ternes, Pte de Champerret*
O 14	5	**Bazeilles** (de)	*Censier-Daubenton*
Q 10	3	**Béarn** (de)	*Chemin-Vert*
F 11	15	**Béatrix-Dussane**	*Dupleix*
P 9	3	**Beaubourg** (imp.)	*Rambuteau*
P 8	3/4	**Beaubourg**	*Rambuteau, Arts-et-M.*
Q 9	3	**Beauce** (de)	*Arts-et-Métiers*
A 7	17	**Beaucour** (av.)	*Ternes*
W 11	20	**Beaufils** (pass.)	*Maraîchers*
E 12	15	**Beaugrenelle**	*Charles-Michels*
U 11	13	**Beauharnais** (cité)	*Rue des Boulets*
N 8	1	**Beaujolais** (galerie de)	*Bourse*
M 8	1	**Beaujolais** (pass. de)	*Bourse*
N 8	1	**Beaujolais** (de)	*Bourse*

plan	arr.	appellation	*métro RER tramway*
G 6	8	Beaujon	*Ch.-de-G.-Étoile*
J 6	8	Beaujon (sq.)	*Miromesnil*
10	3/4	Beaumarchais (bd)	*Bastille, Chemin Vert,*
	11		*St-Sébastien-Froissart*
10	7	Beaune (de)	*Rue du Bac*
10	14	Beaunier	*Pte d'Orléans*
O 7	2	Beauregard	*Bonne-Nouvelle*
C 8	2	Beaurepaire (cité)	*Étienne-Marcel*
Q 7	10	Beaurepaire	*République*
10	16	Beauséjour (bd de)	*Ranelagh*
10	16	Beauséjour (villa de)	*La Muette*
10	4	Beautreillis	*Sully-Morland*
K 7	8	Beauvau (pl.)	*Ch.-Elysées-C.*
6	6	Beaux-Arts (des)	*St-Germain-des-P.*
12	12	Beccaria	*Gare de Lyon*
N 3	18	Becquerel	*Lamarck Caul.*
12	16	Beethoven	*Passy*
12	12	Bel-Air (av. du)	*Nation*
12	12	Bel-Air (cour du)	*Ledru-Rollin*
13	12	Bel-Air (villa du)	*Pte de Vincennes*
10	11	Belfort (de)	*Charonne*
W 8	20	Belgrade (de)	*Ecole Militaire*
10	20	Bellanger	*Gambetta, Pte de Bagnolet*
O 4	18	Belhomme	*Barbès-Roch.*
E 8	17	Belidor	*Pte Maillot*
12	15	Bellart	*Sèvres-Lecourbe*
D 6	7	Bellechasse (de)	*Solférino*
O 6	9	Bellefond (de)	*Poissonnière*
E 7	16	Belles-Feuilles (imp. des)	*Pte Dauphine*
E 7	16	Belles-Feuilles (des)	*Pte Dauphine*
S 7	11/20	Belleville (bd de)	*Ménilmontant, Couronnes, Belleville*
T 6	19/20	Belleville (de)	*Belleville, Pyrénées, Jourdain, Télégraphe, Porte des Lilas*
J 5	19	Bellevue (de)	*Pl.des Fêtes*
J 5	19	Bellevue (villa de)	*Danube*
N 2	18	Belliard	*Pte de Clignancourt, Pte de St-Ouen*
L 2	18	Belliard (villa)	*Pte St-Ouen*
17	13	Bellier-Dedouvre	*Tolbiac*
14	13	Bellièvre (de)	*Quai de la Gare*
E 9	16	Bellini	*Passy*
R 4	19	Bellot	*Stalingrad*
F 7	16	Belloy (de)	*Boissière*
V 5	19	Belvédère (av. du)	*Pré-St-Gervais*
J 5	19	Belvédère (all. du)	*Pte-de-Pantin, Pte-de-la-Villette*
J 5	10	Belzunce (de)	*Gare du Nord*
D 8	14	Bénard	*Mouton-Duvernet*
T 2	2	Ben-Aïad (pass.)	*Sentier*
12	5	Benjamin-Constant	*Corentin-Cariou*
	5	Benjamin-Fondane (pl.)	*Place Monge, Cardinal-Lemoine*
F 9	16	Benjamin-Franklin	*Passy, Trocadéro*
D 8	16	Benjamin-Godard	*Rue de la Pompe*
O 7	20	Benoît-Frachon (av.)	*Porte de Montreuil*
10	16	Béranger (ham.)	*Av. du Pdt-Kennedy*
8	3	Béranger	*République*
10	14	Bérard (cour)	*Bastille*
13	13	Berbier-du-Mets	*Les Gobelins*
13	12	Bercy (allée de)	*Gare de Lyon*
13	12	Bercy (bd de)	*Bercy, Dugommier*
14	12/13	Bercy (pont de)	*Quai de la Gare*
15	12	Bercy (port de)	*Cour St-Emilion*
15	12	Bercy (q. de)	*Bercy, Cour St-Emilion*
13	12	Bercy (de)	*Cour St-Emilion, Bercy, Gare de Lyon, Quai de la Rapée*
11	20	Bergame (imp. de)	*Avron*
O 9	1	Berger (porte) "Forum des Halles"	*Châtelet-Les Halles*
O 9	1	Berger	*Les Halles*
N 7	9	Bergère (cité)	*Grands-Boulevards*
O 7	9	Bergère	*Grands-Boulevards*
O 15	13	Bergère d'Ivry (pl. de la)	*Corvisart*
E 12	15	Bergers (des)	*Charles-Michels*
N 16	14	Berges-Hennequines (des)	*Cité Universitaire*
L 12	6	Bérite	*St-Placide*
E 6	16	Berlioz	*Pte Maillot*
P 9	3	Bernard-de-Clairvaux	*Rambuteau*
J 14	14	Bernard-de-Ventadour	*Pernety*
M 2	18	Bernard-Dimey	*Pte de St-Ouen*
F 9	16	Bernard-Duperier (esplanade)	*Trocadéro*
O 13	5	Bernard-Halpern (pl.)	*Censier-Daubenton*
G 3	17	Bernard-Lafay (prom.)	*Pte de Champerret*
P 8	3	Bernard-Lazare (pl.)	*Arts-et-Métiers*
X 12	12	Bernard-Lecaché	*St-Mandé*
M 11	6	Bernard-Palissy	*St-Germain-des-P.*
O 11	5	Bernardins (des)	*Maubert-Mutualité*
L 5	8	Berne (de)	*Rome*
K 5	8	Bernoulli	*Rome*
H 6	8	Berri (de)	*George-V*
K 7	8	Berryer (cité)	*Madeleine*
H 6	8	Berryer	*George-V*
D 15	15	Bertelotte (all. de la)	*Balard*
P 9	3	Berthaud (imp.)	*Rambuteau*
N 4	18	Berthe	*Abbesses*
J 2	17	Berthier (bd)	*Pte de Clichy, Pte de Champerret*
F 4	17	Berthier (villa)	*Pte Champerret*
O 14	5	Berthollet	*Censier-Daubenton*
H 6	8	Bertie-Albrecht	*Ch.-de-G.-Étoile*
N 10	1	Bertin-Poirée	*Châtelet*
E 10	16	Berton	*Av. du Pdt-Kennedy*
T 8	11	Bertrand (cité)	*Rue St-Maur*
O 4	18	Bervic	*Barbès-Roch.*
K 2	17	Berzélius (pass.)	*Brochant*
K 2	17	Berzélius	*Brochant*
R 9	11	Beslay (pass.)	*Parmentier*
L 2	17	Bessières (bd)	*Pte de St-Ouen, Pte de Clichy*
K 2	17	Bessières	*Pte de Clichy*
H 15	15	Bessin (du)	*Brancion*
P 11	4	Béthune (q. de)	*Sully-Morland*
G 8	8/16	Beyrouth (pl. de)	*Alma-Marceau*
M 16	14	Bezout	*Alésia*
R 7	10	Bichat	*Goncourt*
U 8	20	Bidassoa (de la)	*Gambetta*
S 12	12	Bidault (ruelle)	*Reuilly-Diderot*
K 6	8	Bienfaisance (de la)	*St-Augustin*
K 13	15	Bienvenüe (pl.)	*Montparnasse-B.*
O 11	5	Bièvre (de)	*Maubert-Mutualité*
T 13	12	Bignon	*Dugommier*
M 16	14	Bigorre (de)	*Alésia*
T 1	19	Bigot (sente à)	*Pte de la Villette*
T 4	19	Binder (pass.)	*Laumière*
L 4	17	Biot	*Pl. de Clichy*
Q 10	4	Birague (de)	*Bastille*
F 10	15/16	Bir-Hakeim (pt de)	*Bir-Hakeim*
R 11	12	Biscornet	*Bastille*
T 7	20	Bisson	*Couronnes*
S 3	19	Bitche (pl. de)	*Crimée*
J 11	7	Bixio	*Ecole Militaire*
L 4	17	Bizerte	*Pl. de Clichy*
O 12	5	Blainville	*Place Monge*
L 12	6	Blaise-Desgoffe	*St-Placide*
N 9	1	Blaise-Cendrars (all.)	*Les Halles*
W 10	20	Blanchard	*Pte Montreuil*
H 16	14	Blanche (cité)	*Pte de Vanves*

plan	arr.	appellation	métro RER tramway
M 4	9/18	Blanche (pl.) Blanche	
M 5	9	Blanche Trinité, Blanche	
U 5	19	Blanche-Antoinette Danube	
P 9	4	Blancs-Manteaux (des) Rambuteau	
O 6	9	Bleue Cadet	
J 10	7	Bleuet-de-France (rd-pt du) La Tour Maubourg	
H 13	15	Blomet Volontaires, Vaugirard, Convention	
P 8	2/3	Blondel Strasbourg-St-Denis	
T 8	11	Bluets (des) Rue St-Maur	
P 15	13	Bobillot Pl. d'Italie, Tolbiac	
H 15	15	Bocage (du) Brancion	
H 8	8	Boccador (du) Alma-Marceau	
N 5	8	Boers (villa des) Danube	
U 5	19	Bochart-de-Saron Anvers	
P 9	4	Bœuf (imp. du) Rambuteau	
O 12	5	Bœufs (imp. des) Maubert-Mutualité	
N 7	2	Boïeldieu (pl.) Richelieu-Drouot	
C 12	16	Boileau Michel-A-Molitor	
B 12	16	Boileau (villa) Michel-A-Molitor	
O 2	18	Boinod Simplon	
V 5	19	Bois (des) Pl. des Fêtes	
V 6	19	Bois-d'Orme (villa du) Télégraphe	
K 1	16	Bois-de-Boulogne (du) Argentine	
O 1	17	Bois-le-Prêtre (bd du) Pte St-Ouen	
D 10		Bois-le-Vent La Muette	
F 8	16	Boissière Iéna, Boissière, V-Hugo	
F 8		Boissière (villa) Boissière	
O 4	18	Boissieu Barbès-Roch.	
M 14	14	Boissonade Raspail	
K 8	8	Boissy-d'Anglas Concorde	
O 16	13	Boiton (pass.) Corvisart	
T 3	19	Boléro (villa) Ourcq	
T 6	19	Bolivar (sq.) Pyrénées	
E 10	16	Bolivie (pl. de) Av. du Pdt-Kennedy	
M 10	6	Bonaparte St-Germain-des-P., St-Sulpice	
N 3	18	Bonne (de la) Lamarck-Caul.	
S 11	11	Bonne-Graine (pass. de la) Ledru-Rollin	
O 7		Bonne-Nouvelle (bd de la) Strasbourg-St-Denis, Bonne-Nouvelle	
O 7		Bonne-Nouvelle (imp. de) Bonne-Nouvelle	
M 2	18	Bonnet Pte St-Ouen	
T 10	11	Bon-Secours (imp.) Charonne	
N 9	1	Bons-Enfants (des) Palais-Royal	
O 9	1	Bons-Vivants (des) "Forum des Halles" Châtelet-Les Halles	
P 8	3	Borda Arts-et-Métiers	
L 9	1	Bord de l'Eau (terrasse du) Tuileries	
P 4	9	Boris-Vian Barbès-Roch.	
V 6	20	Borrégo (du) St-Fargeau	
V 6	20	Borrégo (villa du) St-Fargeau	
H 13	15	Borromée Volontaires	
C 12	16	Bosio Michel-A-Auteuil	
H 10	8	Bosquet (av.) Pont de l'Alma, École Militaire	
H 10	7	Bosquet École Militaire	
H 9	7	Bosquet (villa) Pt de l'Alma	
P 5	18	Bossuet Gare du Nord	
T 7	20	Botha Pyrénées	
T 5	19	Botzaris Buttes Chaumont, Botzaris	
P 7	10	Bouchardon Strasbourg St-Denis	
N 9	1	Boucher Châtelet	
J 12	15	Bouchut Sèvres-Lecourbe	
O 9	1	Boucle (de la "Forum des Halles" Châtelet-Les Halles	
Q 2	18	Boucry Pte de la Chapelle	
W 7	20	Boudin (pass.) St-Fargeau	
C 11	16	Boudon (av.) Égl. d'Auteuil	
L 7	9	Boudreau Auber	
B 11	16	Boufflers (av. de) Michel-A-Auteuil	

plan	arr.	appellation	métro RER tramway
J 10	7	Bougainville École Militaire	
E 14	15	Bouilloux-Lafont Balard	
D 11	16	Boulainvilliers (h. de) Ranelagh	
D 11	16	Boulainvilliers (de) Av. du Pdt-Kennedy, La Muette	
P 12	5	Boulangers (des) Jussieu	
L 15	14	Boulard Denfert-Roch.	
K 2	17	Boulay (pass.) Pte de Clichy	
K 2	17	Boulay Pte de Clichy	
S 5	19	Bouleaux (sq. des) Bolivar	
R 11	12	Boule-Blanche (pass. de la) Ledru-Rollin	
N 6	9	Boule-Rouge (imp. de la) Grands-Boulevards	
N 6	9	Boule-Rouge (de la) Grands-Boulevards	
U 11	11	Boulets (des) Rue des Boulets	
K 16	14	Boulitte Plaisance	
R 10	11	Boulle Bréguet-Sabin	
G 5	17	Boulnois (pl.) Ternes	
N 8	1	Bouloi (du) Louvre	
F 8	16	Bouquet-de-Longchamp (du) Boissière	
P 11	8	Bourbon (q. de) Pont-Marie	
M 11	6	Bourbon-le-Château (de) Mabillon	
N 6	9	Bourdaloue N.-D.-de-Lorette	
H 8	8	Bourdin (imp.) F.-D.-Roosevelt	
R 11	12	Bourdon (bd) Quai de la Rapée, Bastille	
O 9	1	Bourdonnais (imp. des) Châtelet	
O 9	1	Bourdonnais (des) Châtelet	
S 5	19	Bouret Jaurès, Bolivar	
O 8	2	Bourg-l'Abbé (pass. du) Étienne-Marcel	
O 8	3	Bourg-l'Abbé (du) Étienne-Marcel	
K 9	7	Bourgogne (de) Varenne	
R 17	13	Bourgoin (imp.) Pte d'Ivry	
R 17	13	Bourgoin (pass.) Pte d'Ivry	
R 16	13	Bourgon Maison-Blanche	
P 10	4	Bourg-Tibourg (pl. du) Hôtel-de-Ville	
K 4	17	Boursault (imp.) Rome	
K 5	17	Boursault Rome	
N 7	2	Bourse (de la) Bourse	
N 7	2	Bourse (de la) Bourse	
H 14	15	Bourseul Vaugirard	
N 17	13	Boussingault Glacière	
P 11	4	Boutarel Pont-Marie	
N 11	5	Boutebrie Cluny-La Sorbonne	
N 16	13	Boutin Glacière	
Q 6	10	Boutron (imp.) Gare de l'Est	
S 17	13	Boutroux (av.) Pte d'Ivry	
O 12	5	Bouvart (imp.) Maubert-Mutualité	
T 11	11	Bouvier Rue des Boulets	
V 11	11	Bouvines (av. de) Nation	
U 11	11	Bouvines Nation	
U 8	20	Boyer Gambetta	
K 15	14	Boyer-Barret Pernety	
R 6	19	Boy-Zelenski Colonel-Fabien	
P 7	10	Brady (pass.) Château-d'Eau	
U 13		Brahms Daumesnil	
H 14	15	Brancion Brancion	
G 16		Brancion (sq.) Brancion	
G 9	7/15	Branly (q.) Pte de l'Alma, Champ de Mars	
P 9	3	Brantôme (pass.) Rambuteau	
P 9	3	Brantôme Rambuteau	
P 9	3	Braque (de) Rambuteau	
E 11	15	Brazzaville (pl. de) Dupleix	
L 13	5	Bréa Vavin	
U 14	12	Brèche-aux-Loups (de la) Daumesnil	
S 10	11	Bréguet Bréguet-Sabin	
H 4		Brémontier Wagram	
H 4	17	Brésil (pl. du) Wagram	
B 14	16	Bresse (sq. de la) Pte de St-Cloud	
Q 9	3	Bretagne (de) Filles-du-Calv., Arts-et-Métiers	

plan	arr.	appellation	métro RER tramway
11	7/15	Breteuil (av. de)	St-François-Xavier, Sèvres-Lecourbe
12	7/15	Breteuil (pl. de)	Sèvres-Lecourbe
V 8	20	Bretonneau	Pelleport
R 7	10	Bretons (cour des)	Goncourt
A 4	8	Bretonvilliers (de)	Sully-Morland
O 9	1	Brève "Forum des Halles"	Châtelet-Les Halles
G 6	17	Brey	Ch.-de-G.-Etoile
15	14	Brézin	Mouton-Duvernet
N 6	9	Briare (pass.)	Cadet
K 4	17	Bridaine	Rome
R 5	19	Brie (pass. de la)	Jaurès
13	12	Briens (sentier)	Picpus
G 8	16	Brignole	Iéna
17	13	Brillat-Savarin	M-Blanche, Cité Uni.
S 4	19	Brindeau (all. du)	Laumière
N 4	18	Briquet (pass.)	Anvers
16	18	Briquet	Anvers
O 9	14	Briqueterie (de la)	Pte de Vanves
12	4	Brisac (de)	Sully-Morland
V 7	20	Brizeux (sq.)	Pelleport
14	5/13	Broca	Censier-Daubenton, Les Gobelins
K 3	17	Brochant	Brochant
N 7	2	Brongniart	Bourse
10	4	Brosse (de)	Hôtel-de-Ville
M 3	18	Brouillards (all. des)	Lamarck-Caul.
14	5	Broussais	St-Jacques
15	14	Brown-Séquard	Pasteur
14	13	Bruant	Chevaleret
11	14	Bruller	St-Jacques
11	14	Brulon (pass.)	Faidherbe-Chal.
14	14	Brune (bd)	Pte de Vanves, Pte d'Orléans
16	14	Brune (villa)	Pte d'Orléans
F 6	17	Brunel	Argentine
H 3	17	Bruneseau	Bibliothèque François Mitterrand
17	16	Brunetière (av.)	Pte de Champerret
12	12	Brunoy (pass.)	Gare de Lyon
M 4	9	Bruxelles (de)	Pl. de Clichy
L 5	8	Bucarest (de)	Liège
11	5	Bûcherie (de la)	Maubert-Mutualité
11	6	Buci (carr. de)	Odéon
11	6	Buci (de)	Mabillon
L 6	8	Budapest (pl. de)	St-Lazare
L 6	8	Budapest (de)	St-Lazare
11	4	Budé	Pont-Marie
10	7	Buenos-Aires (de)	Champ de Mars
N 6	9	Buffault	Cadet
13	5	Buffon	Austerlitz
E 7	16	Bugeaud (pl.)	V.-Hugo, Pte Dauphine
12	16	Buis (du)	Egl. d'Auteuil
R 7	10	Buisson-St-Louis (pass. du)	Belleville
R 7	10	Buisson-St-Louis (du)	Belleville
11	11	Bullourde (pass.)	Voltaire
16	16	Buot	Corvisart
11	11	Bureau (imp. du)	A.-Dumas
11	11	Bureau (du)	A.-Dumas
R 6	19	Burnouf	Colonel-Fabien
M 4	18	Burq	Abbesses
14	13	Butte-aux-Cailles (de la)	Corvisart
T 5	19	Buttes-Chaumont (villa des)	Botzaris
Q 3	18	Buzelin	Marx-Dormoy
11	20	Buzenval (de)	Buzenval

C

plan	arr.	appellation	métro RER tramway
15	14	Cabanis	Glacière
17	5	Cacheux	Cité Universitaire
N 6	9	Cadet	Cadet
16	13	Cadets de la France Libre (des)	Bibliothèque François Mitterrand
F 15	15	Cadix (de)	Pte de Versailles
O 4	18	Cadran (imp. du)	Anvers
Q 8	3	Caffarelli	Temple
O 18	13	Caffieri (av.)	Pte d'Italie
U 4	19	Cahors (de)	Danube
Q 5	10	Cail	La Chapelle
Q 17	13	Caillaux	Maison-Blanche
X 13	12	Cailletet	St-Mandé-Tour.
Q 4	17	Caillié	Stalingrad
O 8	2	Caire (pass. du)	Sentier
O 8	2	Caire (pl. du)	Sentier
O 8	2	Caire (du)	Réaumur-Séb.
O 8	2	Caire (galerie du)	Sentier
M 5	9	Calais (de)	Blanche
N 2	18	Calmels (imp.)	Jules-Joffrin
N 2	18	Calmels	Jules-Joffrin
N 2	18	Calmels-Prolongée	Jules-Joffrin
N 4	18	Calvaire (pl. du)	Abbesses
N 4	18	Calvaire (du)	Abbesses
K 7	8	Cambacérès	Miromesnil
V 6	20	Cambo (de)	Pl. des Fêtes
V 8	20	Cambodge (du)	Gambetta
M 18	14	Cambodge (passerelle du)	Gentilly
L 8	1	Cambon	Concorde, Madeleine
T 2	19	Cambrai (de)	Corentin-Cariou
H 12	15	Cambronne (pl.)	Cambronne
H 13	15	Cambronne	Cambronne, Vaugirard
J 16	13	Camélias (des)	Pte de Vanves
L 1	17	Camille-Blaisot	Pte de St-Ouen
W 8	20	Camille-Bombois	Pte de Bagnolet
K 12	15	Camille-Claudel (pl.)	Falguière
S 9	11	Camille-Desmoulins	Voltaire
N 1	18	Camille-Flammarion	Pte Clignancourt
M 13	6	Camille-Jullian (pl.)	Port-Royal
H 3	17	Camille-Pissaro	Pereire
L 4	18	Camille-Tahan	Pl. de Clichy
E 9	16	Camoëns (av. de)	Passy
M 13	14	Campagne-Première	Raspail
P 14	13	Campo-Formio (de)	Campo-Formio
H 16	15	Camulogène	Brancion
J 8	8	Canada (pl. du)	F-D-Roosevelt
Q 3	18	Canada (du)	Marx-Dormoy
Q 6	10	Canal (all. du)	Gare de l'Est
W 12	12	Canart (imp.)	Vincennes
S 11	11	Candie (de)	Ledru-Rollin
O 13	13	Candolle (de)	Censier-Daubenton
M 11	6	Canettes (des)	Mabillon
J 15	14	Cange (du)	Pernety
M 11	6	Canivet (du)	St-Sulpice
V 14	12	Cannebière (de)	Daumesnil
S 16	13	Cantagrel	Bibliothèque François Mitterrand
R 11	11	Cantal (cour du)	Bastille
T 3	19	Cantate (villa)	Ourcq
K 13	15	Capitaine-Dronne (all. du)	Montparnasse- B.
W 8	20	Capitaine-Ferber (du)	Pte de Bagnolet
L 3	18	Capitaine-Lagache (du)	Guy-Môquet
L 3	18	Capitaine-Madon (du)	Guy-Môquet
W 8	20	Capitaine-Marchal (du)	Pelleport
E 12	15	Capitaine-Ménard (du)	Javel
C 11	16	Capitaine-Olchanski (du)	Michel-A.-Auteuil
F 10	15	Capitaine-Scott (du)	Dupleix
W 8	20	Capitaine-Tarron (du)	Pte de Bagnolet
P 4	18	Caplat	Barbès-Roch.
F 4	17	Caporal-Peugeot (du)	Louise-Michel
V 14	12	Capri (de)	Michel-Bizot
L 4	17	Capron	Pl. de Clichy
M 7	2/9	Capucines (bd des)	Opéra
L 7	2	Capucines (des)	Opéra
G 13	15	Carcel	Vaugirard

plan	arr.	appellation	métro RER tramway
K 2	17	**Cardan** *Pte de Clichy*	
W 10	20	**Cardeurs** (sq. des) *Pte de Bagnolet*	
G 11	15	**Cardinal-Amette** (pl. du) *Dupleix*	
N 4	18	**Cardinal-Dubois** (du) *Anvers*	
M 10	6	**Cardinale** *Mabillon*	
V 15	12	**Cardinal-Guibert** (du) *Abbesses*	
V 15	12	**Cardinal-Lavigerie** (pl. du) *Pte Dorée*	
P 12	5	**Cardinal-Lemoine** (cité du) *Cardinal-Lemoine*	
P 12	5	**Cardinal-Lemoine** (cité du) *Cardinal-Lemoine*	
L 5	9	**Cardinal-Mercier** (du) *Pl. de Clichy*	
J 4	17	**Cardinet** (pass.) *Malesherbes*	
J 4	17	**Cardinet** *Wagram, Malesherbes, Brochant*	
R 1	19	**Cardinoux** (all. des) *Pte de la Chapelle*	
T 6	19	**Carducci** *Botzaris*	
O 11	5	**Carmes** (des) *Maubert-Mutualité*	
G 6	17	**Carnot** (av.) *Ch.-de-G.-Étoile*	
X 13	12	**Carnot** (bd) *Pte de Vincennes*	
L 4	17	**Caroline** *Pl. de Clichy*	
V 6	19	**Carolus-Duran** *Pré-St-Gervais*	
Q 10	4	**Caron** *St-Paul*	
M 3	18	**Carpeaux** *Guy-Môquet*	
H 7	8	**Carré-d'Or** (gal.) *George-V*	
O 9	1	**Carrée** (pl.) "Forum des Halles" *Châtelet-Les Halles*	
H 12	15	**Carrier-Belleuse** *Cambronne*	
U 10	11	**Carrière-Mainguet** (imp.) *Charonne*	
T 10	11	**Carrière-Mainguet** *Charonne*	
E 10	16	**Carrières** (imp. des) *Passy*	
U 4	17	**Carrières d'Amérique** (des) *Danube*	
M 9	1	**Carrousel** (pl. du) *Palais-Royal*	
M 9	1/6/7	**Carrousel** (pt du) *Palais-Royal*	
X 8	20	**Cartellier** (av.) *Pte de Bagnolet*	
F 14	15	**Casablanca** (de) *Boucicaut*	
M 3	18	**Casadesus** *Lamarck-Caul.*	
U 7	20	**Cascades** (des) *Pyrénées*	
N 11	6	**Casimir-Delavigne** *Odéon*	
K 10	7	**Casimir-Périer** *Solferino*	
M 11	6	**Cassette** *St-Sulpice*	
M 14	14	**Cassini** *Port-Royal*	
J 14	14	**Castagnary** *Plaisance*	
V 10	20	**Casteggio** (imp. de) *Avron*	
T 7	20	**Castel** (villa) *Pyrénées*	
L 7	8	**Castellane** (de) *Madeleine*	
Q 11	4	**Castex** *Bastille*	
L 8	1	**Castiglione** (de) *Tuileries*	
K 14	14	**Catalogne** (pl. de) *Gaîté*	
N 8	1	**Catinat** *Bourse*	
F 4	17	**Catulle-Mendès** *Pte de Champerret*	
M 4	18	**Cauchois** *Blanche*	
E 13	15	**Cauchy** *Javel*	
M 3	18	**Caulaincourt** *Pl. de Clichy, Lamarck-Caul.*	
M 3	18	**Caulaincourt** (sq.) *Lamarck-Caul.*	
L 6	9	**Caumartin** (de la) *Havre-Caum.*	
G 11	15	**Cavalerie** (de la) *La Motte-Picquet*	
L 4	17	**Cavallotti** *Pl. de Clichy*	
P 4	18	**Cavé** *Château-Rouge*	
S 5	19	**Cavendish** *Laumière*	
N 4	18	**Cazotte** *Anvers*	
Q 11	4	**Célestins** (q. des) *Sully-M., Pont Marie*	
L 14	14	**Cels** (imp.) *Gaîté*	
L 14	14	**Cels** *Gaîté*	
T 8	20	**Cendriers** (des) *Ménilmontant*	
P 13	13	**Censier** *Censier-Daubenton*	
H 12	15	**Cépré** *Cambronne*	
Q 11	4	**Cerisaie** (de la) *Bastille*	
H 7	8	**Cérisoles** (de) *F.-D.-Roosevelt*	
H 4	8	**Cernuschi** *Wagram*	
K 6	8	**César-Caire** (av.) *St-Augustin*	
J 12	15	**César-Franck** *Ségur*	
T 11	14	**Cesselin** *Faidherbe-Chal.*	
E 13	15	**Cévennes** (des) *Javel*	
T 14	2	**Chabanais** *Pyramides*	
T 14	15	**Chablis** (de) *Cour St-Émilion*	
P 6	10	**Chabrol** (cité de) *Gare de l'Est*	
P 6	10	**Chabrol** (de) *Gare de l'Est, Poissonnière*	
X 12	12	**Chaffault** (du) *St-Mandé-Tour.*	
G 8	16	**Chaillot** (de) *Iéna*	
G 8	16	**Chaillot** (sq. de) *Alma-Marceau*	
L 11	7	**Chaise** (de la) *Sèvres-Babylone*	
K 3	17	**Chalabre** (imp.) *Brochant*	
R 6	19	**Chalet** (du) *Belleville*	
C 10	16	**Chalets** (av. des) *Ranelagh*	
F 6	16	**Chalgrin** *Argentine*	
T 12	12	**Chaligny** *Reuilly-Diderot, Faidherbe-Chal.*	
S 12	12	**Chalon** (cour de) *Gare de Lyon*	
S 13	12	**Chalon** (de) *Gare de Lyon*	
S 13	12	**Chambertin** (de) *Bercy*	
H 15	15	**Chambéry** (de) *Brancion*	
H 8	8	**Chambiges** *Alma-Marceau*	
C 11	16	**Chamfort** *Jasmin*	
W 11	20	**Champagne** (cité) *Maraîchers*	
K 10	7	**Champagny** (de) *Varenne*	
M 12	18	**Champ-à-Loup** (pass. du) *Pte de St-Ouen*	
G 11	15	**Champaubert** (av. de) *La Motte-Picquet*	
O 15	13	**Champ-de-l'Alouette** (du) *Glacière*	
H 10	7	**Champ-de-Mars** (du) *École Militaire*	
G 10	7	**Champfleury** *Dupleix*	
O 2	18	**Championnet** (pass.) *Simplon*	
N 2	18	**Championnet** *Simplon, Guy-Môquet*	
M 2	18	**Championnet** (villa) *Guy-Môquet*	
N 2	18	**Champ-Marie** (pass. du) *Pte de Clignancou...*	
N 11	5	**Champollion** *Cluny-La Sorbonne*	
H 7	8	**Champs** (galerie des) *George-V*	
K 8	8	**Champs-Élysées** (av. des) *Champs-Élysées F.-D.- Roosevelt, George-V, Ch.-de-Gaulle*	
J 8	8	**Champs-Élysées** (port des) *Invalides*	
J 7	8	**Champs-Élysées-Marcel-Dassault** (rd-pt des) *F.-D.-Roosevelt*	
K 11	7	**Chanaleilles** (de) *St-François-Xavier*	
D 7	16	**Chancelier-Adenauer** (pl. du) *Pte Dauphine*	
F 14	15	**Chandon** (imp.) *Boucicaut*	
B 12	16	**Chanez** *Pte d'Auteuil*	
B 12	16	**Chanez** (villa) *Pte d'Auteuil*	
X 12	12	**Changarnier** *Pte de Vincennes*	
O 10	1/4	**Change** (pt au) *Châtelet*	
O 11	4	**Chanoinesse** *Cité*	
C 8	16	**Chantemesse** (av.) *Av. H.-Martin*	
R 11	12	**Chantier** (pass. du) *Ledru-Rollin*	
P 12	5	**Chantiers** (des) *Cardinal-Lemoine*	
O 5	18	**Chantilly** (de) *Poissonnière*	
O 11	4	**Chantres** (des) *Cité*	
R 15	13	**Chanvin** (pass.) *Chevaleret*	
T 11	11	**Chanzy** *Charonne*	
F 5	17	**Chapelle** (av. de la) *Pte Maillot*	
Q 4	10/18	**Chapelle** (bd de la) *Stalingrad, La Chapelle, Barbès-Rochechouart*	
P 4	18	**Chapelle** (cité de la) *La Chapelle*	
P 3	18	**Chapelle** (imp. de la) *Marx-Dormoy*	
P 4	18	**Chapelle** (pl. de la) *La Chapelle*	
P 3	18	**Chapelle** (de la) *Marx-Dormoy, Pte de la Chapelle*	
P 9	3	**Chapon** *Arts-et-Métiers*	
N 4	18	**Chappe** *Abbesses*	
M 5	9	**Chaptal** (cité) *Blanche*	
M 5	9	**Chaptal** *Pigalle*	
C 13	16	**Chapu** *Exelmans*	
N 17	13	**Charbonnel** *Cité Universitaire*	

plan	arr.	appellation	métro RER tramway
4	18	Charbonnière (de la)	Barbès-Roch.
S 11	15	Charbonniers (pass. des)	Sèvres-Lecourbe
N 10	12	Charcot Bibliothèque François Mitterrand	
T 11	16	Chardin	Passy
0 12	16	Chardon-Lagache	Chardon-Lagache
P 4	2	Charente (q. de la)	Pte de la Villette
M 13	12	Charenton (de)	Bastille, Ledru-Rollin, Gare de Lyon, Reuilly-Diderot, Montgallet, Dugommier, Pte de Charenton
H 10	4	Charlemagne	St-Paul
J 7	18	Charles-Albert (pass.)	Pte de St-Ouen
H 12	12	Charles-Baudelaire	Ledru-Rollin
H 4	12	Charles-Bénard (villa)	Picpus
L 15	18	Charles-Bernard (pl.)	Jules-Joffrin
H 7	13	Charles-Bertheau	Maison-Blanche
P 7	13	Charles-Bossut	Reuilly-Diderot
	14	Charles-V Sully-Morland	
Q 16	6	Charles-Cros Ptes des Lilas	
	20	Charles-Cros Ptes des Lilas	
K 15	11	Charles-Dallery (pass.)	Voltaire
N 6	12	Charles-de-Foucauld (av.)	Pte Dorée
Q 5	8/16	Charles-de-Gaulle (pl.)	
0 4	/17	Ch.-de-Gaulle-Etoile	
L 2			
0 10	12/13	Charles-de-Gaulle (pont) Gare d'Austerlitz	
L 16	13	Charles-Delescluze	Ledru-Rollin
K 16	16	Charles-Dickens	Passy
0 11	16	Charles-Dickens (sq.)	Passy
N 6	14	Charles-Divry	Denfert-Roch.
Q 4	18	Charles-Dullin (pl.)	Anvers
R 6	20	Charles-et-Robert Pte de Montreuil	
R 5	11	Charles-Fillion (pl.)	Brochant
W 8	7	Charles-Floquet (av.)	Dupleix
M 6	13	Charles-Fourier	Place d'Italie
V 14	3	Charles-François-Dupuis République	
Q 6	20	Charles-Friedel	Télégraphe
L 7	9	Charles-Garnier (pl.)	Opéra
H 16	17	Charles-Gerhardt	Wagram
H 5	8	Charles-Girault (av.)	Ch.-Élysées-C.
K 14	5	Charles-Godon (cité)	St-Georges
U 1	18	Charles-Hermite Pte de la Chapelle	
V 4	16	Charles-Lamoureux Pte Dauphine	
S 9	13	Charles-Laurent (sq.)	Volontaires
S 9	18	Charles-Lauth Pte la Chapelle	
R 11	15	Charles-Lecocq	Convention
0 7	14	Charles-le-Goffic Pte d'Orléans	
V 8	18	Charles-Leroy Pte de Choisy	
H 15	11	Charles-Luizet St-Sébastien-Froissart	
L 12	15	Charles-Marie-Widor Exelmans	
	15	Charles-Michels (pl.)	Charles-Michels
0 16	19	Charles-Monselet Pré-St-Gervais	
E 10	12	Charles-Moureu Tolbiac	
K 5	18	Charles-Nicolle Montgallet	
M 8	18	Charles-Nodier Anvers	
R 11	11	Charles-Petit (imp.) Faidherbe-Chal.	
R 15	20	Charles-Renouvier Gambetta	
	7	Charles-Risler (av.) Ecole-Militaire	
N 4	10	Charles-Robin Colonel-Fabien	
L 7	16	Charles-Tellier Pte de St-Cloud	
U 7	19	Charles-Tillon (pl.) Pte de la Chapelle	
J 10	17	Charles-Tournemire Louise-Michel	
M 6	15	Charles-Vallin (pl.) Convention	
R 7	15	Charles-Weiss Plaisance	
U 11	8	Charlot Filles-du-Calv.	
M 13	15	Charmilles (villa des) Plaisance	
B 13	12	Charolais (pass. du) Dugommier	
V 8	19	Charolais (pl. du) Pte de Pantin, Pte de la Villette	
S 15	12	Charolais (du) Dugommier	
	11/20	Charonne (bd de) Nation, Avron, A.-Dumas, Philippe-Auguste	
M 8			

plan	arr.	appellation	métro RER tramway
S 11	11	Charonne (de) Ledru-Rollin, Charonne, A.-Dumas	
L 6	9	Charras Havre-Caum.	
T 11	11	Charrière Charonne	
0 12	5	Chartière (imp.) Maubert-Mutualité	
P 4	18	Chartres (de) Barbès-Roch.	
M 13	13	Chartreux (des) Port-Royal	
J 7	8	Chassaigne-Goyon (pl.) St Philippe-du-R.	
H 12	15	Chasseloup-Laubat Ségur	
H 4	17	Chasseurs (av. des) Wagram	
L 15	14	Château Pernety	
H 7	8	Chateaubriand George-V	
P 7	10	Château-d'Eau (du) J.-Bonsergent, Château-d'Eau	
Q 16	13	Château-des-Rentiers (du) Pte d'Ivry, Olympiades, Nationale	
K 15	14	Château-Ouvrier (all. du) Pernety	
N 6	9	Châteaudun (de) Cadet, N-D.-de-Lorette, Trinité	
Q 5	10	Château-Landon (du) Château-Landon	
0 4	18	Château-Rouge (pl. du) Château-Rouge	
L 2	2	Châtelet (pass.) Pte de St-Ouen	
0 10	1/4	Châtelet (pl. du) Châtelet	
L 16	14	Châtillon (de) Alésia	
K 16	14	Châtillon (sq. de) Alésia	
0 11	5	Chat-qui-Pêche (du) St-Michel	
N 6	9	Chauchat Richelieu-Drouot	
Q 4	10	Chaudron Stalingrad	
R 6	19	Chaufourniers (des) Colonel-Fabien	
R 5	19	Chaumont (de) Jaurès	
W 8	20	Chauré (sq.) Pelleport	
M 6	9	Chaussée-d'Antin (de la) Ch.-d'Antin, Trinité	
V 14	12	Chaussin (pass.) Bel-Air	
Q 6	10	Chausson (imp.) Colonel-Fabien	
L 7	8	Chauveau-Lagarde Madeleine	
H 16	15	Chauvelot Brancion	
H 5	17	Chazelles (de) Courcelles	
K 14	14	Chef d'Escadron-de-Guillebon (allée du) Montparnasse-B.	
U 1	19	Chemin-de-Fer (du) Pte de la Villette	
V 4	19	Cheminets (des) Pte de Pantin	
S 9	11	Chemin-Vert (pass. du) Richard-Lenoir	
S 9	11	Chemin-Vert (du) Chemin-Vert, Richard-Lenoir, St-Ambroise, Père-Lachaise	
R 11	12	Chêne-Vert (cour du) Ledru-Rollin	
0 7	2	Chénier Strasbourg-St-Denis	
V 8	20	Cher (du) Gambetta	
H 15	15	Cherbourg (de) Brancion	
L 12	6	Cherche-Midi (du) Sèvres-Babylone, Vaneau, Falguière	
0 16	13	Chéreau Corvisart	
E 10	16	Chernoviz Passy	
K 5	17	Chéroy (de) Rome	
M 8	2	Chérubini (de) Quatre septembre	
R 11	11	Cheval-Blanc (pass. du) Bastille	
R 15	13	Chevaleret (du) Bd Massena, Bibliothèque François Mitterrand, Chevaleret	
N 4	18	Chevalier-de-la-Barre (du) Abbesses	
L 7	1/8	Chevalier-de-Saint-George (du) Madeleine	
U 7	20	Chevaliers (imp. des) Télégraphe	
J 10	7	Chevert Ecole Militaire	
M 6	9	Cheverus (de) Trinité	
R 7	10	Chevet (du) Goncourt	
U 11	11	Chevreul Nation	
M 13	6	Chevreuse (de) Vavin	
B 13	16	Cheysson (villa) Exelmans	
V 8	20	Chine (de la) Gambetta	
S 15	13	Choderlos-de-Laclos Bibliothèque François Mitterrand	
M 8	2	Choiseul (pass.) Quatre septembre	

13

plan	arr.	appellation	métro RER tramway
M 7	2	**Choiseul** (de) *Quatre septembre*
Q 17	13	**Choisy** (av. de) *Pte de Choisy, Maison-Blanche, Tolbiac, Pl. d'Italie*
L 11	7	**Chomel** *Sèvres-Babylone*
D 10	16	**Chopin** (pl.) *La Muette*
N 6	9	**Choron** *N.-D.-de-Lorette*
S 13	12	**Chrétien-de-Troyes** *Gare de Lyon*
U 12	12	**Christian-Dewet** *Nation*
L 10	7	**Christian-Pineau** (allée) *r. du Bac*
O 4	18	**Christiani** *Barbès-Roch.*
N 10	6	**Christine** *Odéon*
J 3	17	**Christine-de-Pisan** *Wagram*
G 7	8	**Christophe-Colomb** *George-V*
L 13	6	**Cicé** (de) *N.-D.-des-Champs*
F 8	17	**Cimarosa** *Boissière*
J 2	17	**Cimetière-des-Batignolles** (av. du) *Pte de Clichy*
O 12	5	**Cimetière-St-Benoist** (du) *Maubert-Mutualité*
E 4	16	**Cino-del-Duca** *Louise-Michel*
O 16	13	**Cinq-Diamants** (des) *Corvisart*
K 14	14/15	**Cinq-Martyrs-du-Lycée-Buffon** (pl. des) *Montparnasse-B.*
P 8	8	**Cirque** (des) *Ch.-Élysées-C.*
M 11	9	**Ciseaux** (des) *St-Germain-des-P.*
O 10	4	**Cité** (de la) *Cité*
N 17	14	**Cité-Universitaire** (de la) *Cité Universitaire*
S 11	12	**Citeaux** (de) *Faidherbe-Chal.*
S 7	7	**Civiale** *Belleville*
B 13	16	**Civry** (de) *Exelmans*
K 3	17	**Clairaut** *Brochant*
L 5	8	**Clapeyron** *Rome*
H 7	8	**Claridge** (galerie du) *F.-D.-Roosevelt*
O 14	5	**Claude-Bernard** *Censier-Daubenton*
O 15	13	**Claude-Bourdet** (pl.) *Corvisart*
E 10	9	**Claude-Chahu** *Passy*
F 4	17	**Claude-Debussy** *Pte de Champerret*
J 4	17	**Claude-Debussy** (sq.) *Villiers*
V 15	12	**Claude-Decaen** *Pte Dorée, Michel-Bizot, Daumesnil*
A 13	16	**Claude-Farrère** *Michel-A.-Molitor*
C 13	16	**Claude-François** (pl.) *Exelmans*
H 16	15	**Claude-Garamond** *Pte de Vanves*
B 13	16	**Claude-Lorrain** *Exelmans*
B 13	16	**Claude-Lorrain** (villa) *Exelmans*
U 5	19	**Claude-Monet** (villa) *Danube*
J 4	17	**Claude-Pouillet** *Villiers*
R 17	13	**Claude-Regaud** (av.) *Pte d'Ivry*
B 14	16	**Claude-Terrasse** *Pte de St-Cloud*
T 12	12	**Claude-Tillier** *Reuilly-Diderot*
R 6	10	**Claude-Vellefaux** (av.) *Colonel-Fabien*
N 5	9	**Clauzel** *St-Georges*
T 6	19	**Clavel** *Pyrénées*
P 13	5	**Clef** (de la) *Place Monge*
J 8	8	**Clemenceau** (pl.) *Ch.-Élysées-C.*
N 9	1	**Clémence-Royer** *Halles*
M 11	6	**Clément** *Mabillon*
D 11	16	**Clément-Ader** (pl.) *Av. du Pdt-Kennedy*
H 8	8	**Clément-Marot** *Alma-Marceau*
D 13	15	**Clément-Myionnet** *Javel*
H 10	7	**Cler** *École Militaire*
O 7	2	**Cléry** (pass. de) *Bonne-Nouvelle*
O 7	2	**Cléry** (de) *Sentier, Strasbourg-St-Denis*
L 4	17/18	**Clichy** (av. de) *Pl. de Clichy, La Fourche, Brochant, Pte de Clichy*
N 5	9/18	**Clichy** (bd de) *Pigalle, Blanche, Pl. de Clichy*
L 4	17	**Clichy** (pass. de) *Pl. de Clichy*
L 4	8/9 17/18	**Clichy** (pl. de) *Pl. de Clichy*
M 6	9	**Clichy** (de) *Trinité, Liège, Pl. de Clichy*
O 3	18	**Clignancourt** (de) *Barbès-Roch., Château-Rouge, Marcadet-Pois., Simplon*
O 2	18	**Clignancourt** (sq. de) *Simplon*
R 15	13	**Clisson** (imp.) *Nationale*
R 15	13	**Clisson** *Chevaleret, Nationale*
U 8	20	**Cloche** (de la) *Gambetta*
P 10	15	**Clodion** *Dupleix*
O 11	4	**Cloître-Notre-Dame** (du) *Cité*
O 11	4	**Cloître-St-Merri** (du) *Hôtel-de-Ville*
W 10	20	**Clos** (du) *Maraîchers*
O 12	5	**Clos-Bruneau** (pass. du) *Maubert-Mutualité*
F 14	15	**Clos-Feuquières** (du) *Convention*
R 7	11	**Clos-de-Malevart** (villa du) *Goncourt*
N 12	5	**Clotaire** *Luxembourg*
O 12	5	**Clotilde** *Cardinal-Lemoine*
R 10	11	**Clotilde-de-Vaux** *Chemin-Vert*
U 2	19	**Clôture** (de la) *Pte de la Villette*
H 12	15	**Clouet** *Cambronne*
O 12	5	**Clovis** *Cardinal-Lemoine*
R 5	19	**Clovis-Hugues** *Bolivar*
N 3	18	**Cloÿs** (imp. des) *Jules-Joffrin*
M 3	18	**Cloÿs** (pass. des) *Lamarck-Caul.*
N 3	18	**Cloÿs** (des) *Jules-Joffrin*
N 11	5	**Cluny** *La Sorbonne*
P 11	5	**Cochin** *Maubert Mutualité*
L 11	6	**Coëtlogon** *St-Sulpice*
L 15	14	**Cœur-de-Vey** (villa) *Mouton-Duvernet*
H 9	7	**Cognacq-Jay** *Pt de l'Alma*
N 8	2	**Colbert** (gal.) *Bourse*
N 8	2	**Colbert** *Bourse*
M 9	1	**Colette** (pl.) *Palais-Royal*
J 7	8	**Colisée** (du) *St Philippe-du-R.*
O 14	5	**Collégiale** (de la) *Les Gobelins*
J 16	14	**Collet** (villa) *Didot*
L 2	17	**Collette** *Guy Môquet*
M 5	9	**Collin** (pass.) *Pigalle*
S 3	19	**Colmar** (de) *Crimée*
O 10	4	**Colombe** (de la) *Cité*
C 9	16	**Colombie** (pl. de) *Av. H.-Martin*
D 10	16	**Colonel-Bonnet** (av. du) *Av. du Pdt-Kennedy*
T 12	12	**Colonel-Bourgoin** (pl. du) *Reuilly-Diderot*
H 12	15	**Colonel-Colonna-d'Ornano** (du) *Volontai...*
H 9	7	**Colonel-Combes** (du) *Pt de l'Alma*
P 17	13	**Colonel-Dominé** (du) *Pte d'Italie*
N 9	1	**Colonel-Driant** (du) *Palais-Royal*
R 6	10/19	**Colonel-Fabien** (pl. du) *Colonel-Fabien*
M 15	14	**Colonel-Henri-Rol-Tanguy** (av.) *Denfert-Roch.*
K 2	17	**Colonel-Manhès** (du) *Pte de Clichy*
F 6	17	**Colonel-Moll** (du) *Argentine*
J 16	14	**Colonel-Monteil** (du) *Pte de Vanves*
W 14	12	**Colonel-Oudot** (du) *Pte Dorée*
D 15	15	**Colonel-Pierre-Avia** (du) *Balard*
T 12	12	**Colonel-Rozanoff** (du) *Reuilly-Diderot*
F 6	17	**Colonels-Renard** (des) *Argentine*
O 17	13	**Colonie** (de la) *Corvisart, Tolbiac*
N 7	2	**Colonnes** (des) *Bourse*
V 12	12	**Colonnes-du-Trône** (des) *Nation*
N 16	13/14	**Coluche** (pl.) *Glacière, Alésia, Plaisance*
R 12	12	**Combattants-en-Afrique-du-Nord** (pl. des) *Gare de Lyon*
J 10	7	**Comète** (de la) *Latour-Maub.*
L 11	7	**Commaille** (de) *Sèvres-Babylone*
K 4	17	**Commandant-Charles-Martel** (pass. du) *Rome*
A 13	16	**Commandant-Guilbaud** (du) *Pte de St-Clo...*
R 10	11	**Commandant-Lamy** (du) *Bréguet-Sabin*
F 14	15	**Commandant-Léandri** (du) *Convention*

plan	arr.	appellation	métro RER tramway
2	20	**Commandant-L'Herminier** (du)	Pte de Vincennes
6	16	**Commandant-Marchand** (du)	Pte Maillot
10	10	**Commandant-Mortenol** (du)	Gare de l'Est
3	16	**Commandant-Raynal** (all. du)	Javel-A-Citroën
4	14/15	**Commandant-René-Mouchotte**	Montparnasse-B.
7	8	**Commandant-Rivière** (du)	St-Philippe-du-R.
9	16	**Commandant-Schlœsing** (du)	Trocadéro
1	19	**Commanderie** (bd de la)	Pte La Villette
6	14	**Commandeur** (du)	Alésia
2	15	**Commerce** (imp. du)	Commerce
2	15	**Commerce** (pl. du)	Commerce
2	15	**Commerce** (rue du)	La Motte-Piquet, Émile-Zola, Commerce
1	6	**Commerce-St-André** (cour)	Odéon
9	3	**Commerce-St-Martin** (pass. du)	Rambuteau
3	3	**Commines**	Filles-du-Calv.
6	13	**Commune de Paris** (pl. de la)	Corvisart
5	19	**Compans**	Pl. des Fêtes
5	10	**Compiègne** (de)	Gare du Nord
3	17	**Compoint** (villa)	Guy-Môquet
3	15	**Comtat-Venaissin** (pl. du)	Félix-Faure
8	8	**Comtesse de Ségur** (all. de la)	Monceau
8	8	**Concorde** (pl. de la)	Concorde
8	7/8	**Concorde** (pt)	Concorde
1	6	**Condé** (de)	Odéon
8	11	**Condillac**	Père-Lachaise
8	9	**Condorcet** (cité)	Anvers
5	9	**Condorcet**	Anvers
5	8	**Conférence** (port de la)	Alma-Marceau
11	20	**Confiance** (imp. de la)	Buzenval
3	12	**Congo** (du)	Dugommier
9	16	**Conseiller-Collignon** (du)	La Muette
7	9	**Conservatoire** (du)	Grands-Boulevards
4	8	**Constance**	Blanche
1	20	**Constant-Berthaut**	Jourdain
12	14	**Constant-Coquelin** (av.)	Duroc
14	14	**Constantin-Brancusi** (pl.)	Gaîté
9	7	**Constantine** (de)	Invalides
2	8	**Constantinople**	Europe, Villiers
3	18	**Constantin-Pecqueur** (pl.)	Lamarck Caul.
3	3	**Conté**	Arts-et-Métiers
10	1	**Conti** (imp. de)	Pont-Neuf
10	1	**Conti** (q. de)	Pont-Neuf
12	5	**Contrescarpe** (pl. de la)	Place Monge
5	15	**Convention** (de la)	Javel, Boucicaut, Convention
18	15	**Conventionnel-Chiappe** (av.)	Pte de Choisy
5	8	**Copenhague** (de)	Rome
7	16	**Copernic** (de)	Boissière, Victor-Hugo
7	16	**Copernic** (villa)	Victor-Hugo
3	15	**Copreaux**	Volontaires
6	9	**Coq** (av. du)	Trinité
9	11	**Coq** (cour du)	Richard-Lenoir
8	1	**Coq-Héron**	Les Halles
8	1	**Coquillière**	Les Halles
12	12	**Corbera** (av. de)	Reuilly-Diderot
14	12	**Corbineau**	Bercy
14	14	**Corbon**	Vaugirard
8	13	**Cordelières** (des)	Gobelins
3	3	**Corderie** (de la)	République
8	20	**Cordon-Boussard** (imp.)	Gambetta
2	19	**Corentin-Cariou** (av.)	Corentin-Cariou
12	12	**Coriolis**	Dugommier
7	16	**Corneille** (imp.)	Michel-A.-Molitor
1	6	**Corneille**	Odéon
12	16	**Corot**	Égl. d'Auteuil
7	14	**Corot** (villa)	Cité Universitaire
U 4	19	**Corrèze** (de la)	Danube
O 10	4	**Corse** (q. de la)	Cité
E 9	16	**Cortambert**	La Muette
N 4	18	**Cortot**	Lamarck Caul.
J 6	8	**Corvetto**	Villiers
O 5	13	**Corvisart**	Corvisart
O 9	1	**Cossonnerie** (de la)	Les Halles
E 10	16	**Costa-Rica** (pl. de)	Passy
S 11	12	**Cotentin** (du)	Pasteur
M 3	18	**Cottages** (des)	Lamarck-Caul.
S 11	12	**Cotte** (de)	Ledru-Rollin
O 4	18	**Cottin** (pass.)	Château-Rouge
M 16	14	**Couche**	Alésia
L 17	20	**Coulmiers** (de)	Pte d'Orléans
W 10	20	**Courat**	Maraîchers
J 5	8/17	**Courcelles** (bd de)	Villiers, Monceau, Courcelles, Ternes
J 6	8/17	**Courcelles** (de)	St-Philippe-du-R., Courcelles, Pereire
V 8	20	**Cour-des-Noues** (de la)	Gambetta
F 13	15	**Cournot**	Convention
T 7	20	**Couronnes** (des)	Couronnes
O 9	1	**Courtalon**	Châtelet
X 13	12	**Courteline** (av.)	St-Mandé-Tour.
T 10	11	**Courtois** (pass.)	Charonne
K 9	7	**Courty** (de)	Ass. Nationale
M 4	18	**Coustou**	Blanche
O 10	4	**Coutellerie** (de la)	Hôtel-de-Ville
Q 9	3	**Coutures-St-Gervais** (des)	St-Sébastien-Froissart
T 10	11	**Couvent** (cité du)	Charonne
P 15	13	**Coypel**	Pl. d'Italie
L 3	18	**Coysevox**	Guy-Môquet
R 15	13	**Crayons** (passage des)	Bibliothèque François Mitterrand
N 11	6	**Crébillon**	Odéon
H 3	17	**Crèche** (de la)	Wagram
N 18	13	**Crédit-Lyonnais** (imp. du)	Cité Universitaire
R 12	12	**Crémieux**	Gare de Lyon
S 8	11	**Crespin-du-Gast**	Ménilmontant
N 5	17	**Cretet**	Anvers
E 7	16	**Crevaux**	Victor-Hugo
Q 11	4	**Crillon**	Sully-Morland
R 3	19	**Crimée** (pass. de)	Crimée
S 4	19	**Crimée** (de)	Pl. des Fêtes, Botzaris, Laumière, Crimée
V 10	20	**Crins** (imp. des)	Avron
X 11	20	**Cristino-Garcia**	Pte de Vincennes
K 14	14	**Crocé-Spinelli**	Pernety
K 12	15	**Croisic** (sq. du)	Duroc
N 7	2	**Croissant** (du)	Sentier
N 8	1	**Croix-des-Petits-Champs**	Palais-Royal
T 10	11	**Croix-Faubin** (de la)	Voltaire
S 16	13	**Croix-Jarry** (de la)	Bibliothèque François Mitterrand
Q 2	18	**Croix-Moreau** (de la)	Pte de la Chapelle
G 12	15	**Croix-Nivert** (de la)	Cambronne, Av. Émile-Zola, Commerce, Félix-Faure, Boucicaut, Pte de Versailles
H 12	15	**Croix-Nivert** (villa)	Cambronne
W 10	20	**Croix-St-Simon** (de la)	Maraîchers
H 15	15	**Cronstadt** (de)	Convention
U 5	19	**Cronstadt** (villa de)	Danube
O 15	13	**Croulebarbe**	Gobelins, Corvisart
S 12	12	**Crozatier** (imp.)	Reuilly-Diderot
T 12	12	**Crozatier**	Reuilly-Did., Ledru-R.
R 8	11	**Crussol** (cité de)	Filles-du-Calvaire
R 8	11	**Crussol** (de)	Filles-du-Calvaire, Oberkampf
Q 3	18	**Cugnot**	Marx-Dormoy
N 12	5	**Cujas**	Luxembourg

plan	arr.	appellation	métro RER tramway
P 8	3	Cunin-Gridaine *Arts-et-Métiers*	
C 11	16	Cure (de la) *Jasmin*	
P 3	18	Curé (imp. du) *Marx-Dormoy*	
S 2	19	Curial *Riquet, Cor.-Cariou*	
R 3	19	Curial (villa) *Crimée*	
G 3	17	Curnonsky *Pte de Champerret*	
O 4	18	Custine *Château-Rouge*	
P 12	5	Cuvier *Jussieu*	
O 9	2	Cygne (du) *Étienne-Marcel*	
F 10	15	Cygnes (all. des) *Bir-Hakeim*	
N 3	18	Cyrano-de-Bergerac *Lamarck-Caul.*	

D

plan	arr.	appellation	métro RER tramway
W 10	20	Dagorno (pass.) *Maraîchers*	
V 13	12	Dagorno *Bel-Air*	
L 15	14	Daguerre *Denfert-Roch.*	
T 11	13	Dahomey (du) *Faidherbe-Chal.*	
M 8	2	Dalayrac *Pyramides*	
N 3	18	Dalida (pl.) *Lamarck-Caul.*	
R 17	13	Dalloz *Pte d'Ivry*	
J 13	15	Dalou *Pasteur*	
L 4	17	Dames (de) *Pl. de Clichy.*	
P 17	13	Damesme (imp.) *Maison-Blanche*	
P 16	13	Damesme *Tolbiac, Maison-Bl.*	
O 8	2	Damiette (de) *Sentier*	
R 10	11	Damoye (cour) *Bastille*	
T 2	19	Dampierre *Corentin-Cariou*	
M 2	18	Damrémont *Lamarck-Caul., Pte de Clignancourt*	
M 2	18	Damrémont (villa) *Lamarck-Caul.*	
N 5	18	Dancourt *Anvers*	
N 5	18	Dancourt (villa) *Anvers*	
C 11	16	Dangeau *Jasmin*	
M 8	1/2	Danielle-Casanova *Pyramides*	
K 12	15	Daniel-Lesueur (av.) *Duroc*	
G 11	15	Daniel-Stern *Dupleix*	
K 14	14	Daniel-Templier (parvis) *Gaîté*	
O 11	5	Dante *Maubert-Mutualité*	
N 11	6	Danton *Odéon*	
G 15	15	Dantzig (pass. de) *Georges Brassens*	
G 15	15	Dantzig (de) *Georges Brassens*	
U 5	19	Danube (hameau du) *Danube*	
U 5	19	Danube (villa du) *Danube*	
L 15	14	Danville *Denfert-Roch.*	
K 6	16	Dany (imp.) *Europe*	
R 7	11	Darboy *Goncourt*	
L 4	17	Darcet *Pl. de Clichy*	
W 7	20	Darcy *St-Fargeau*	
E 5	17	Dardanelles (des) *Pte Maillot*	
M 15	14	Dareau (pass.) *St-Jacques*	
N 15	14	Dareau *St-Jacques*	
U 4	19	Darius-Milhaud (allée) *Danube*	
S 17	13	Darmesteter *Pte d'Ivry*	
H 5	8	Daru *Courcelles*	
N 3	18	Darwin *Lamarck-Caul.*	
O 13	5	Daubenton *Censier-Daubenton*	
J 4	17	Daubigny *Malesherbes*	
T 13	12	Daumesnil (av.) *Gare de Lyon, Reuilly-Diderot, Dugommier, Daumesnil, Michel-Bizot, Porte Dorée*	
V 14	12	Daumesnil (villa) *Michel-Bizot*	
C 14	16	Daumier *Pte de St-Cloud*	
T 9	11	Daunay (imp.) *Père-Lachaise*	
L 2	18	Daunay (pass.) *Pte de St-Ouen*	
M 7	2	Daunou *Opéra*	
N 10	6	Dauphine (pass.) *Odéon*	
N 10	6	Dauphine (pl.) *Pont-Neuf*	
N 10	6	Dauphine *Odéon*	
L 3	17	Dautancourt *La Fourche*	
R 10	11	Daval *Bréguet-Sabin*	
U 5	19	David-d'Angers *Danube*	
M 17	14	David-Weill (av.) *Cité Universitaire*	

plan	arr.	appellation	métro RER tramway
O 16	13	Daviel *Glacière*	
O 16	13	Daviel (villa) *Glacière*	
C 10	16	Davioud *Ranelagh*	
X 12	20	Davout (bd) *Pte de Vincennes, Pte de Montreu., Pte de Bagnolet*	
L 3	17	Davy *Guy-Môquet*	
F 6	19	Débarcadère (du) *Pte Maillot*	
Q 3	3	Debelleyme *St Sébastien-Froissart*	
W 12	12	Debergue (cité) *Picpus*	
V 5	19	Debidour (av.) *Pré-St-Gervais*	
S 10	11	Debille (cour) *Voltaire*	
G 9	7/16	Debilly (passerelle) *Iéna*	
G 9	16	Debilly (port) *Iéna*	
G 8	8	Debrousse *Alma-Marceau*	
E 8	16	Decamps *Rue de la Pompe*	
O 9	1	Déchargeurs (des) *Châtelet*	
J 15	14	Decrès *Plaisance*	
L 4	17	Défense (imp. de la) *Pl. de Clichy*	
D 12	16	Degas *Mirabeau*	
O 7	2	Degrés (des) *Strasbourg-St-Denis*	
R 7	11	Deguerry *Goncourt*	
O 4	18	Dejean *Château Rouge*	
T 8	20	Delaître *Ménilmontant*	
E 4	17	Delaizement *Pte de Champerret*	
L 13	14	Delambre *Edgar-Q., Vavin*	
L 13	14	Delambre (sq.) *Edgar-Q., Vavin*	
P 6	19	Delanos (pass.) *Gare de l'Est*	
T 10	11	Delaunay (imp.) *Charonne*	
K 15	14	Delbet *Alésia*	
J 7	8	Delcassé (av.) *Miromesnil*	
F 12	15	Delecourt (av.) *Commerce*	
S 11	11	Delépine (cour) *Ledru-Rollin*	
U 11	11	Delépine (imp.) *Rue des Boulets*	
F 9	16	Delessert (bd) *Passy*	
Q 5	19	Delessert (pass.) *Château-Landon*	
T 3	19	Delesseux *Ourcq*	
L 2	17	Deligny (imp.) *Pte de St-Ouen*	
Q 17	13	Delorder (villa) *Maison-Blanche*	
T 6	19	Delouvain *Jourdain*	
O 5	19	Delta (du) *Barbès-Roch.*	
P 5	10	Demarquay *Gare du Nord*	
P 5	10	Denain (bd de) *Gare du Nord*	
M 14	14	Denfert-Rochereau (av.) *Port-Royal, Denfert-Roch.*	
M 15	14	Denfert-Rochereau (pl.) *Denfert-Roch.*	
F 6	17	Denis-Poisson *Argentine*	
S 7	20	Dénoyez *Belleville*	
J 11	7	Denys-Cochin (pl.) *École-Militaire*	
J 4	17	Déodat-de-Séverac *Malesherbes*	
M 4	17	Depaquit (pass.) *Lamarck-Caul.*	
L 14	14	Departieux *Denfert-Roch.*	
L 13	14/15	Départ (du) *Montparnasse-B.*	
Q 4	18/19	Département (du) *Stalingrad, La Chapelle*	
G 10	15	Desaix *Dupleix*	
F 11	15	Desaix (sq.) *Dupleix*	
S 7	20	Desargues *Belleville*	
C 12	16	Désaugiers *Egl. d'Auteuil*	
D 9	16	Desbordes-Valmore *La Muette*	
O 12	5	Descartes *Cardinal-Lemoine*	
F 4	17	Descombes *Pte de Champerret*	
T 13	12	Descos *Dugommier*	
J 9	7	Desgenettes *Invalides*	
R 3	19	Desgrais (pass.) *Crimée*	
K 16	14	Deshayes (villa) *Didot*	
P 7	10	Désir (pass. du) *Château d'Eau*	
U 8	20	Désirée *Gambetta*	
M 2	18	Désiré-Ruggieri *Guy-Môquet*	
F 14	15	Desnouettes *Convention*	
E 14	15	Desnouettes (sq.) *Pte de Versailles*	

plan	arr.	appellation	métro RER tramway
13	16	Despréaux (av.)	Michel-A.-Molitor
14	14	Desprez	Pernety
16	13	Dessous-des-Berges (du)	Bibliothèque François Mitterrand
10	6	Deux-Anges (imp. des)	St-Germain-des-P.
13	13	Deux-Avenues (des)	Tolbiac
9	1	Deux-Boules (des)	Châtelet
9	17	Deux-Cousins (imp. des)	Pte de Champerret
9	1	Deux-Écus (pl. des)	Louvre
13	10	Deux-Gares (des)	Gare de l'Est
18	14	Deuxième-D.-B. (all. de la)	Montparnasse-B.
8	18	Deux-Nèthes (imp. des)	Pl. de Clichy
11	1	Deux-Pavillons (pass. des)	Bourse
4	4	Deux-Ponts (des)	Pont-Marie
6	20	Deux-Portes (pass. des)	Maraîchers
6	9	Deux-Sœurs (pass. des)	Cadet
8	20	Devéria	Télégraphe
9	20	Dhuis (du)	Pelleport
7	9	Diaghilev (pl.)	Chaussée-d'Antin
19	19	Diane-de-Poitiers (all.)	Belleville
3	19	Diapason (sq. du)	Pte de Pantin
3	14	Diard	Lamarck-Caul.
12	12	Diderot (bd)	Gare de Lyon, Reuilly-Diderot, Nation
12	12	Diderot (cour)	Gare de Lyon
13	14	Didot	Pernety, Didot
15	16	Dietz-Monnin (villa)	Exelmans
7	20	Dieu (pass.)	Maraîchers
17	10	Dieu	République
14	13	Dieudonné-Costes	Pte d'Ivry
3	13	Dieulafoy	Tolbiac
7	12	Dijon (du)	Cour St-Emilion
14	13	Disque (du)	Pte d'Ivry
3	6/14	Dix-huit-Juin-1940 (pl. du)	Montparnasse-B.
2	12	Dix-neuf-mars-1962 (pl. du)	Gare de Lyon
4	17	Dixmude (bd de)	Pte Maillot
5	10	Dobropol (du)	Pte Maillot
1	12	Dr-Alfred-Fournier (pl. du)	Goncourt
	12	Dr-Antoine-Béclère (pl. du)	Faidherbe-Chaligny
	12	Dr-Arnold-Netter (av. du)	Bel-Air, Picpus, Pte de Vincennes
1	18	Dr-Babinski (du)	Pte de St-Ouen
0	16	Dr-Blanche (du)	Jasmin
0	16	Dr-Blanche (sq. du)	Jasmin
0	13	Dr-Bourneville (du)	Pte d'Italie
7	7	Dr-Brouardel (av. du)	Champ-de-Mars
4	17	Dr-Félix-Lobligeois (pl. du)	Brochant
5	15	Dr-Finlay (du)	Dupleix
4	16	Dr-Germain-Sée (du)	Av du Pdt-Kennedy
6	20	Dr-Gley (av. du)	Pte des Lilas
3	12	Dr-Goujon (du)	Daumesnil
1	16	Dr-Hayem (pl. du)	Av du Pdt-Kennedy
3	17	Dr-Heulin (du)	La Fourche
	15	Dr-Jacquemaire-Clémenceau (du)	Commerce
8	8	Dr-Jacques-Bertillon (imp. du)	Alma-Marceau
7	20	Dr-Labbé (du)	St-Fargeau
3	19	Dr-Lamaze (du)	Riquet
3	17	Dr-Lancereaux (du)	Miromesnil
6	13	Dr-Landouzy (du)	Maison-Blanche
8	14	Dr-Lannelongue (av. du)	Pte d'Orléans
7	13	Dr-Laurent (du)	Tolbiac
7	13	Dr-Lecène (du)	Maison-Blanche
7	13	Dr-Leray (du)	Maison-Blanche
7	13	Dr-Lucas-Championnière (du)	Maison-Blanche
Q 16	13	Dr-Magnan (du)	Tolbiac
Q 16	13	Dr-Navarre (du)	Olympiades
V 7	20	Dr-Paquelin (du)	Pelleport
K 2	17	Dr-Paul-Brousse (du)	Pte de Clichy
A 14	15	Dr-Paul-Michaux (pl. du)	Pte de St-Cloud
V 6	19	Dr-Potain (du)	Télégraphe
J 13	5	Dr-Roux (du)	Pasteur
P 17	13	Dr-Tuffier (du)	Maison-Blanche
Q 15	13	Dr-Victor-Hutinel (du)	Nationale
X 10	13	Dr-Yersin (pl. du)	Pte d'Ivry
B 14	16	Dode-de-la-Brunerie (av.)	Pte de St-Cloud
F 5	17	Doisy (pass.)	Ternes
P 13	5	Dolomieu	Place Monge
O 11	5	Domat	Maubert-Mutualité
G 14	15	Dombasle (imp.)	Convention
G 14	15	Dombasle (pass.)	Convention
F 7	15	Dombasle	Convention
F 14	8	Dôme (du)	Ch.-de-G.-Étoile
R 15	15	Dominique-Pado	Pte de Versailles
C 12	13	Domrémy (du)	Bibliothèque François Mitterrand
G 3	16	Donizetti	Michel-A.-Auteuil
U 4	17	Dordogne (sq. de la)	Pereire
U 12	19	Dorées (sente des)	Pte de Pantin
U 12	12	Dorian (av.)	Nation
E 7	12	Dorian	Nation
M 5	16	Dosne	Victor-Hugo
M 16	9	Douai (de)	Pigalle, Blanche, Pte de Clichy
J 2	14	Douanier-Rousseau (du)	Alésia
O 11	17	Douaumont (bd)	Pte de Clichy
P 3	4/5	Double (pt au)	Cité
M 11	18	Doudeauville (du)	Marx-Dormoy, Château-Rouge
S 8	6	Dragon (du)	St-Germain-des-P.
E 5	11	Dranem	Ménilmontant
N 4	17	Dreux (de)	Pte Maillot
S 11	18	Drevet	Abbesses
F 9	11	Driancourt (pass.)	Faidherbe-Chal.
N 6	16	Droits de l'Homme et des Libertés (parvis des)	Trocadéro
S 11	9	Drouot	Richelieu-Drouot, Le Peletier
Q 6	12	Druinot (imp.)	Faidherbe-Chal.
D 10	10	Dubail (pass.)	Gare de l'Est
L 5	16	Duban	La Muette
T 4	8	Dublin (pl. de)	Liège
V 9	19	Dubois (pass.)	Laumière
U 13	20	Dubourg (cité)	Gambetta
T 15	12	Dubrunfaut	Dugommier
N 13	12	Dubuffet (pass.)	Cour St-Emilion
R 15	18	Duc	Jules-Joffrin
M 15	13	Duchefdelaville	Chevaleret
S 9	14	Du-Couédic	Mouton-Duvernet
U 7	11	Dudouy (pass.)	Rue St-Maur
V 7	20	Duée (pass. de la)	Télégraphe
D 8	20	Duée (de la)	Télégraphe
B 14	16	Dufrénoy	Av. H.-Martin
U 13	16	Dufresne (villa)	Pte de St-Cloud
L 12	12	Dugommier	Dugommier
G 11	6	Duguay-Trouin	N.-D.-des-Champs
G 11	15	Du-Guesclin (pass.)	Dupleix
O 2	15	Du-Guesclin	Dupleix
N 2	18	Duhesme (du)	Pte de Clignancourt
K 13	18	Duhesme (pass.)	Lamarck-Caul., J.-Joffrin, Simplon
W 8	15	Dulac	Falguière
Q 5	20	Dulaure	Pte de Bagnolet
K 4	10	Dulcie-September (pl.)	Château-Landon
U 11	17	Dulong	Rome
P 14	11	Dumas (pass.)	Rue des Boulets
G 7	13	Duméril	Campo-Formio
	16	Dumont-d'Urville	Kléber

plan	arr.	appellation	métro RER tramway
S 6	19	**Dunes** (des)	Belleville
P 5	9/10	**Dunkerque** (de)	Gare du Nord, Anvers
R 15	13	**Dunois**	Chevaleret
R 15	13	**Dunois** (sq.)	Chevaleret
M 5	9	**Duperré**	Pigalle
Q 8	3	**Dupetit-Thouars** (cité)	Temple
Q 8	3	**Dupetit-Thouars**	Temple
L 8	1/8	**Duphot**	Madeleine
E 6	16	**Duplan** (cité)	Pte Maillot
G 11	15	**Dupleix** (pl.)	Dupleix
G 11	15	**Dupleix**	Dupleix
S 9	11	**Dupont** (cité)	Rue St-Maur
E 6	16	**Dupont** (villa)	Pte Maillot
V 8	20	**Dupont-de-l'Eure**	Pelleport
H 9	16	**Dupont-des-Loges**	Pt de l'Alma
Q 3	18	**Dupuy** (imp.)	Marx-Dormoy
R 17	13	**Dupuy-de-Lôme**	Pte d'Ivry
N 11	6	**Dupuytren**	Odéon
J 11	7	**Duquesne** (av.) Ecole-Militaire, St-François-Xavier	
U 14	12	**Durance** (de la)	Daumesnil
T 9	11	**Duranti**	Père-Lachaise
M 4	18	**Durantin**	Abbesses
F 14	15	**Duranton**	Boucicaut
K 7	8	**Duras** (de)	Ch.-Élysées-C.
F 6	16	**Duret**	Argentine
T 8	20	**Duris** (pass.)	Père-Lachaise
T 8	20	**Duris**	Père-Lachaise
T 8	20	**Durmar** (cité)	Ménilmontant
J 12	7	**Duroc**	Duroc
L 15	14	**Durouchoux**	Mouton-Duvernet
V 6	20	**Dury-Vasselon** (villa)	Pte des Lilas
O 8	3	**Dussoubs**	E.-Marcel, Réaumur-S.
K 16	14	**Duthy** (villa)	Didot
J 14	14	**Dutot**	Volontaires
K 8	8	**Dutuit** (av.)	Ch.-Élysées-C.
S 3	19	**Duvergier**	Crimée
H 10	7	**Duvivier**	Ecole-Militaire

E

plan	arr.	appellation	métro RER tramway
E 10	16	**Eaux** (pass. des)	Passy
E 10	16	**Eaux** (des)	Passy
T 13	12	**Ebelmen**	Montgallet
J 11	7	**Eblé**	Duroc
M 10	6	**Echaudé** (de l')	Mabillon
M 8	1	**Echelle** (de l')	Palais-Royal
O 7	10	**Echiquier** (de l')	Strasbourg-St-Denis
R 6	10	**Ecluses-St-Martin** (des)	Colonel-Fabien
N 6	9	**Ecole** (imp. de l')	Cadet
N 10	1	**Ecole** (pl. de l')	Pont-Neuf
N 11	6	**Ecole-de-Médecine** (de l')	Odéon
H 10	7	**Ecole-Militaire** (pl. de l')	Ecole-Militaire
O 12	5	**Ecole-Polytechnique** (de l') Maubert-Mutualité	
U 8	20	**Ecoles** (cité des)	Gambetta
O 12	5	**Ecoles** (des) Cardinal-Lemoine, Maubert-Mutualité, Cluny	
F 12	15	**Ecoliers** (pass. des)	Commerce
O 12	5	**Ecosse** (d')	Maubert-Mutualité
P 10	4	**Ecouffes** (des)	St-Paul
C 9	16	**Ecrivains Combattants Morts pour la France** (sq. des)	La Muette
W 10	20	**Ecuyers** (sentier des)	Maraîchers
G 11	15	**Edgar-Faure**	Dupleix
S 6	19	**Edgar-Poë**	Bolivar
L 13	14	**Edgar-Quinet** (bd)	Raspail, Edgar-Quinet
U 3	19	**Edgar-Varèse**	Pte de Pantin
K 5	8	**Edimbourg** (d')	Europe
S 15	13	**Edison** (av.)	Pt d'Italie

plan	arr.	appellation	métro RER tramway
S 3	19	**Edit de Nantes** (pl. de l')	Crimée
W 8	20	**Édith Piaf** (pl.)	Pte de Bagnolet
D 9	16	**Edmond-About**	Av. H.-Martin
R 14	13	**Edmond-Flamand**	Quai de la Gare
O 15	13	**Edmond-Gondinet**	Corvisart
J 13	15	**Edmond-Guillout**	Pasteur
O 9	4	**Edmond-Michelet** (pl.)	Rambuteau
F 12	15	**Edmond-Roger**	Charles-Michels
N 12	15	**Edmond-Rostand** (pl.)	Luxembourg
L 17	14	**Edmond-Rousse**	Pte d'Orléans
H 9	7	**Edmond-Valentin**	Pt de l'Alma
O 10	1	**Édouard-Colonne**	Châtelet
H 5	17	**Édouard-Detaille**	Wagram
C 9	16	**Édouard-Fournier**	Av. H.-Martin
K 14	12	**Édouard-Jacques**	Pernety
X 14	12	**Édouard-Lartet**	Pte Dorée
S 8	11	**Édouard-Lockroy**	Parmentier
P 15	13	**Édouard-Manet**	Pl. d'Italie
S 5	19	**Édouard-Pailleron**	Bolivar
O 14	13	**Édouard-Quénu**	Censier-Daubenton
W 14	12	**Édouard-Renard** (pl.)	Pte Dorée
V 14	12	**Édouard-Robert**	Michel-Bizot
L 7	9	**Édouard-VII** (pl.)	Auber
L 7	9	**Édouard-VII**	Auber
L 7	9	**Édouard-VII** (sq.)	Auber
A 14	16	**Édouard-Vaillant** (av.)	Pte de St-Cloud
K 8	8	**Edward-Tuck** (av.)	Ch.-Élysées-C.
G 9	7	**Edwige-Feuillère** (pl.)	Pt de l'Alma
U 5	19	**Égalité** (de l')	Danube
Q 10	4	**Eginhard**	St-Paul
F 13	15	**Église** (imp. de l')	Félix-Faure
F 13	15	**Église** (de l')	Félix-Faure
C 12	16	**Église d'Auteuil** (pl. de l')	Égl. d'Auteuil
C 10	16	**Église de l'Assomption** (pl. de l')	Rane...
S 2	19	**Eiders** (all. des)	C.-Cariou, Crimée
X 12	12	**Élie-Faure**	St-Mandé-Tour.
U 8	20	**Élisa-Borey**	Père-Lachaise
U 13	12	**Élisa-Lemonnier**	Dugommier
Q 8	3	**Élisabeth-Dmitrieff** (pl.)	Temple
G 10	7	**Élisée-Reclus** (av.)	Pt de l'Alma
J 11	7	**El-Salvador** (pl.)	St-Fc.-Xavier
T 16	13	**Elsa-Morante**	Bibliothèque François Mitterrand
K 7	8	**Élysée** (de l')	Ch.-Élysées-C.
T 7	20	**Élysée-Ménilmontant** (de l')	Ménilmontant
J 7	8	**Élysées 26** (gal.)	Fr.-D.-Roosevelt
H 7	8	**Élysées-La Boétie** (gal.)	Fr.-D.-Roosevelt
J 7	8	**Élysées-Rond-Point** (gal.)	Fr.-D.-Roose...
Q 10	4	**Elzévir**	St-Paul
S 3	19	**Emélie**	Crimée
F 11	15	**Emeriau**	Ch., Dupleix
H 11	7	**Émile-Acollas** (av.)	La Motte-Picquet
F 5	17	**Émile-Allez**	Pte de Champerret
D 9	16	**Émile-Augier** (bd)	La Muette
C 11	16	**Émile-Bergerat** (av.)	Jasmin
Q 1	18	**Émile-Bertin**	Pte de la Chapelle
N 2	18	**Émile-Blémont**	Jules-Joffrin
S 1	19	**Émile-Bollaert**	Corentin-Cariou
K 1	18	**Émile-Borel**	Pte de St-Ouen
O 2	18	**Émile-Chaine**	Marcadet-Pois.
H 10	7	**Émile-Deschanel** (av.)	École Militaire
O 15	13	**Émile-Deslandes**	Les Gobelins
V 6	20	**Émile-Desvaux**	Télégraphe
M 17	14	**Émile-Deutsch-de-la-Meurthe** Cité Universitaire	
M 15	14	**Émile-Dubois**	St-Jacques
J 13	15	**Émile-Duclaux**	Volontaires
P 3	18	**Émile-Duployé**	Marcadet-Pois.
S 15	13	**Émile-Durkheim** Bibliothèque François Mitterrand	

plan	arr.	appellation	métro RER tramway
3	17	Émile-et-Armand-Massard (av.) Pte Champerret	
17	14	Émile-Faguet Pte d'Orléans	
2	12	Émile-Gilbert Gare de Lyon	
4	8	Émile-Goudeau (pl.) Abbesses	
8	20	Émile-Landrin (pl.) Gambetta	
9	20	Émile-Landrin Gambetta	
0	12	Émile-Laurent (av.) Pte Dorée	
2	5	Émile-Lepeu Charonne	
7	13	Émile-Levassor (av.) Pte d'Ivry	
2	5	Émile-Level Brochant	
3	19	Émile-Loubet (villa) Danube	
3	16	Émile-Mâle (pl.) Jussieu	
8	16	Émile-Ménier Victor-Hugo	
0	16	Émile-Meyer (villa) Exelmans	
2	20	Émile-Pierre-Casel Pte de Bagnolet	
0	7	Émile-Pouvillon (av.) Pt de l'Alma	
2	19	Émile-Reynaud Pte de la Villette	
2	14	Émile-Richard Raspail	
2	12	Émile-Zola (av.) Javel, Charles-Michels, Émile-Zola	
2	15	Émile-Zola (sq.) Charles-Michels	
2	12	Emilio-Castelar Ledru-Rollin	
3	13	Émir-Abdelkader (pl. de l') Censier-Daubenton	
4	17	Emmanuel-Chabrier (sq.) Malesherbes	
3	15	Emmanuel-Chauvière Javel	
7	15	Emmanuel-Levinas (pl.) Place-Monge	
7	20	Emmery Jourdain	
6	14	Empereur-Julien (de l') Cité Universitaire	
6	14	Empereur-Valentinien (de l') Cité Universitaire	
5	19	Encheval (de l') Botzaris	
3	15	Enfant-Jésus (imp. de l') Pasteur	
4	14	Enfer (pass. d') Raspail	
7	10	Enghien (d') Bonne-N., Ch.-d'Eau	
2	15	Entrepreneurs (pass. des) Commerce	
3	15	Entrepreneurs (des) Charles-Michels, Commerce	
2	15	Entrepreneurs (v. des) Charles-Michels	
3	20	Envierges (des) Pyrénées	
3	5	Épée-de-Bois (de l') Censier-Daubenton	
1	6	Éperon (de l') Odéon	
2	17	Épinettes (imp. des) Pte de St-Ouen	
3	14	Épinettes (pass. des) Montparnasse-B.	
2	17	Épinettes (des) Guy-Môquet	
9	19	Équerre (de l') Buttes-Chaumont	
	1	Équerre d'Argent (de l') "Forum des Halles" Châtelet-Les Halles	
2	12	Érard (imp.) Reuilly-Diderot	
2	12	Érard Reuilly-Diderot	
5	5	Erasme Place Monge	
8	18	Erckmann-Chatrian Barbès-Roch.	
3	19	Éric-Tabarly (promenade) Laumière	
9	18	Érik-Satie Ourcq	
6	16	Erlanger (av.) Michel-A-Molitor	
	16	Erlanger Michel-A-Molitor	
	16	Erlanger (villa) Michel-A-Molitor	
3	16	Ermitage (av. de l') Chardon-Lagache	
8	20	Ermitage (cité de l') Gambetta	
7	20	Ermitage (de l') Jourdain	
7	20	Ermitage (villa de) Jourdain	
5	14	Ernest-Cresson Denfert-Roch.	
	14	Ernest-Denis (pl.) Port-Royal	
6	13	Ernest-et-Henri-Rousselle Tolbiac	
2	17	Ernest-Goüin Pte de Clichy	
9	16	Ernest-Hébert Av. H.-Martin	
	15	Ernest-Hemingway Bd Victor	
3	18	Ernestine Marcadet-Pois.	
W 14	12	Ernest-Lacoste Pte Dorée	
W 13	12	Ernest-Lavisse Pte de Vincennes	
W 14	12	Ernest-Lefébure Pte Dorée	
V 7	20	Ernest-Lefèvre Pelleport	
H 10	7	Ernest-Psichari École Militaire	
F 15	15	Ernest-Renan (av.) Pte de Versailles	
J 12	15	Ernest-Renan Pasteur	
L 17	14	Ernest-Reyer (av.) Pte d'Orléans	
K 2	17	Ernest-Roche Pte de Clichy	
R 15	13	Escadrille-Normandie-Niemen (pl. de l') Chevaleret	
R 2	19	Escaut (de l') Crimée	
N 2	18	Esclangon Clignancourt	
U 16	12	Escoffier Pte de Charenton	
O 16	13	Espérance (de l') Corvisart	
Q 14	13	Esquirol Nationale	
E 5	5	Essai (de l') St-Marcel	
U 7	19	Est (de l') Jourdain	
R 17	13	Este (villa d') Pte d'Ivry	
X 12	20	Estérel (sq. de l') Pte de Vincennes	
M 6	9	Estienne-d'Orves (pl. d') Trinité	
N 12	5	Estrapade (pl. de l') Luxembourg	
O 12	5	Estrapade (de l') Place Monge	
J 11	7	Estrées (d') St-François-Xavier	
G 8	16	États-Unis (pl. des) Boissière	
M 3	18	Etex Guy-Môquet	
L 3	18	Etex (villa) Guy-Môquet	
T 8	20	Étienne-Dolet Ménilmontant	
L 4	18	Étienne-Jodelle La Fourche	
O 8	1/2	Étienne-Marcel Étienne-Marcel	
W 8	20	Étienne-Marey Pelleport	
W 8	20	Étienne-Marey (villa) Pelleport	
F 13	15	Étienne-Pernet (pl.) Félix-Faure	
G 6	17	Étoile (de l') Ch.-de-G.-Étoile	
S 11	11	Étoile-d'Or (cour de l') Ledru-Rollin	
O 16	13	Eugène-Atget Corvisart	
C 11	8	Eugène-Baudouin (pass.) Jasmin	
M 3	18	Eugène-Carrière Guy-Môquet	
N 16	14	Eugène-Claudius-Petit (pl.) Cité Universitaire	
D 9	16	Eugène-Delacroix Rue de la Pompe	
G 4	17	Eugène-Flachat Pereire	
N 1	18	Eugène-Fournière Pte de Clignancourt	
G 14	15	Eugène-Gibez Convention	
T 13	12	Eugène-Hatton (square) Montgallet, Dugommier	
U 4	19	Eugène-Jumin Pte de Pantin	
C 9	16	Eugène-Labiche Av. H.-Martin	
U 5	16	Eugène-Leblanc (villa) Botzaris	
E 9	16	Eugène-Manuel Passy	
E 9	16	Eugène-Manuel (villa) Passy	
F 14	15	Eugène-Millon Convention	
S 16	13	Eugène-Oudiné Bibliothèque François Mitterrand	
L 15	14	Eugène-Pelletan Denfert-Roch.	
D 11	16	Eugène-Poubelle Av. du Pdt-Kennedy	
X 10	20	Eugène-Reisz Pte de Montreuil	
Q 8	3	Eugène-Spuller Temple	
O 3	18	Eugène-Sue Marcadet-Pois.	
Q 5	10	Eugène-Varlin Château-Landon	
U 5	19	Eugène-Çotton Pl. des Fêtes	
T 12	12	Eugénie-Éboué Reuilly-Diderot	
V 9	20	Eugénie-Legrand Gambetta	
G 7	8	Euler George-V	
T 7	20	Eupatoria (d') Ménilmontant	
K 15	14	Eure (de l') Pernety	
L 5	8	Europe (pl. de l') Europe	
S 4	19	Euryale-Dehaynin Laumière	
R 2	18	Évangile (de l') Marx-Dormoy	
X 6	20	Évariste-Galois St-Fargeau	
V 8	20	Éveillard (imp.) Gambetta	

plan	arr.	appellation	métro RER tramway
S 3	19	**Évette** Crimée	
B 13	16	**Exelmans** (bd) Bd Victor, Exelmans, Pte d'Auteuil	
B 13	16	**Exelmans** (hameau) Exelmans	
H 10	7	**Exposition** (de l') École Militaire	
E 8	16	**Eylau** (av. d') Trocadéro	
F 7	16	**Eylau** (villa d') Victor-Hugo	

F

plan	arr.	appellation	métro RER tramway
J 9	7	**Fabert** Invalides	
U 12	12	**Fabre-d'Églantine** Nation	
S 8	15	**Fabriques** (cour des) Parmentier	
P 15	13	**Fagon** Pl. d'Italie	
T 11	11	**Faidherbe** Faidherbe-Chal.	
D 7	16	**Faisanderie** (de la) Av. H.-Martin, Pte Dauphine	
D 7	16	**Faisanderie** (villa de la) Pte Dauphine	
M 2	18	**Falaise** (cité) Pte de St-Ouen	
W 8	20	**Falaises** (villa des) Pte de Bagnolet	
O 4	18	**Falconet** Château-Rouge	
J 13	15	**Falguière** (cité) Pasteur	
J 14	15	**Falguière** (pl.) Volontaires	
K 13	15	**Falguière** Pasteur	
F 12	15	**Fallempin** Dupleix	
C 13	16	**Fantin-Latour** Exelmans	
F 5	17	**Faraday** Ternes	
S 7	10/11	**Faubourg-du-Temple** (du) République, Goncourt, Belleville	
N 7	9	**Faubourg-Montmartre** Rue-Montmartre, Le Peletier	
O 6	9/10	**Faubourg-Poissonnière** (du) Bonne-Nouvelle, Poissonnière, Barbès-Roch.	
U 12	11/12	**Faubourg-St-Antoine** (du) Bastille, Ledru-Rollin, Faidherbe-Chal., Nation	
P 6	10	**Faubourg-St-Denis** (du) Strasbourg-St-Denis, Château-d'Eau, Gare de l'Est, Gare du Nord, La Chapelle	
K 7	8	**Faubourg-St-Honoré** (du) Concorde, Miromesnil, St-Philippe-du-R., Ternes	
N 14	14	**Faubourg-St-Jacques** (du) Port-Royal, St-Jacques	
P 6	10	**Faubourg-St-Martin** (du) Strasbourg-St-Denis, Château-d'Eau, Gare de l'Est, Château-Landon, Louis-Blanc	
T 7	20	**Faucheur** (villa) Pyrénées	
P 11	4	**Fauconnier** (du) Pont-Marie	
D 9	16	**Faustin-Hélie** La Muette	
L 3	18	**Fauvet** La Fourche	
N 7	2	**Favart** Richelieu-Drouot	
H 14	15	**Favorites** (des) Vaugirard	
V 14	12	**Fécamp** (de) Pte de Charenton, Michel-Bizot	
G 11	15	**Fédération** (de la) Bir-Hakeim, Dupleix	
O 9	1	**Federico-Garcia-Lorca** (all.) Les Halles	
M 11	6	**Félibien** Odéon	
D 11	6	**Félicien-David** Mirabeau	
P 18	13	**Félicien-Rops** (av.) Pte d'Italie	
J 4	17	**Félicité** (de la) Malesherbes	
A 14	16	**Félix-d'Hérelle** (av.) Pte de St-Cloud	
U 13	12	**Félix-Éboué** (pl.) Daumesnil	
F 13	15	**Félix-Faure** (av.) Félix-Faure, Boucicaut, Lourmel, Balard	
E 14	15	**Félix-Faure** Lourmel	
U 5	19	**Félix-Faure** (villa) Pré-St-Gervais	
W 12	12	**Félix-Huguenet** Pte de Vincennes	
L 2	17	**Félix-Pécaut** Guy-Môquet	
W 10	20	**Félix-Terrier** Pte de Montreuil	
T 10	11	**Félix-Voisin** Ph.-Auguste	
M 3	18	**Félix-Ziem** Lamarck-Caul.	
N 5	17	**Fénelon** Anvers	
O 5	10	**Fénelon** Poissonnière	
G 13	15	**Fenoux** Vaugirard	
P 14	15	**Fer-à-Moulin** (du) Censier-Daubenton	

plan	arr.	appellation	métro RER tramway
L 15	14	**Ferdinand-Brunot** (pl.) Mouton-Duvernet	
A 14	16	**Ferdinand-Buisson** (av.) Pte de St-Cloud	
V 15	12	**Ferdinand-de-Behagle** Pte de Charenton	
P 10	4	**Ferdinand-Duval** St-Paul	
G 14	15	**Ferdinand-Fabre** Convention	
O 3	18	**Ferdinand-Flocon** Jules-Joffrin	
W 11	20	**Ferdinand-Gambon** Maraîchers	
J 5	8	**Ferdousi** (av.) Monceau	
F 6	17	**Férembach** (cité) Pte Maillot	
L 14	14	**Fermat** (pass.) Gaîté	
L 14	14	**Fermat** Gaîté	
T 7	20	**Ferme de Savy** (de la) Pyrénées	
P 6	10	**Ferme-St-Lazare** (cour de la) Gare de l'Es[t]	
P 6	10	**Ferme-St-Lazare** (pass. de la) Gare de l'E.	
N 9	1	**Fermes** (cour des) Louvre	
J 4	17	**Fermiers** (des) Malesherbes	
R 14	13	**Fernand-Braudel** Quai de la Gare	
H 3	17	**Fernand-Cormon** Pereire	
J 4	17	**Fernand-de-la-Tombelle** (sq.) Villiers	
E 11	15	**Fernand-Forest** (pl.) Javel	
X 12	12	**Fernand-Foureau** Pte de Vincennes	
J 14	15	**Fernand-Holweck** Pernety	
N 1	18	**Fernand-Labori** Pte de Clignancourt	
U 8	20	**Fernand-Léger** Père-Lachaise	
L 13	14	**Fernand-Mourlot** (place) Edgar-Quinet	
L 1	18	**Fernand-Pelloutier** Pte de St-Ouen	
U 7	20	**Fernand-Raynaud** Pyrénées	
Q 18	13	**Fernand-Widal** Pte d'Italie	
M 11	6	**Férou** St-Sulpice	
O 9	1	**Ferronnerie** (de la) Châtelet	
N 15	14	**Ferrus** Glacière	
T 6	19	**Fessart** Jourdain, Buttes-Chaumont	
U 6	19	**Fêtes** (pl. des) Pl. des Fêtes	
U 6	19	**Fêtes** (des) Pl. des Fêtes	
N 13	14	**Feuillantines** (des) Port-Royal	
L 8	1	**Feuillants** (terrasse des) Tuileries	
O 4	18	**Feutrier** Château-Rouge	
N 7	2	**Feydeau** (galerie) Richelieu-Drouot	
N 7	2	**Feydeau** Bourse	
P 6	10	**Fidélité** (de la) Gare de l'Est	
P 10	4	**Figuier** (du) Pont-Marie	
Q 9	3/11	**Filles-du-Calvaire** (bd des) St-Sébastien-Froissart, Filles-du-Calvaire	
Q 9	3	**Filles-du-Calvaire** (des) Filles-du-Calvaire	
N 7	2	**Filles-St-Thomas** (des) Bourse	
Q 1	18	**Fillettes** (imp. des) Pte de la Chapelle	
Q 2	18	**Fillettes** (des) Pte de la Chapelle	
J 9	7	**Finlande** (pl. de) Invalides	
M 2	18	**Firmin-Gémier** Pte de St-Ouen	
F 15	15	**Firmin-Gillot** Pte de Versailles	
H 15	15	**Fizeau** Brancion	
R 4	19	**Flandre** (pass. de) Riquet	
S 2	19	**Flandre** (av. de) Stalingrad, Riquet, Crimée, Corentin-Cariou	
D 8	16	**Flandrin** (bd) Av. H.-Martin, Av. Foch	
O 14	15	**Flatters** Les Gobelins	
N 6	9	**Fléchier** N.-D.-de-Lorette	
T 6	19	**Fleurie** (villa) Botzaris	
K 2	17	**Fleurs** (cité des) Brochant	
O 11	4	**Fleurs** (q. aux) Cité	
M 12	14	**Fleurus** St-Placide	
P 4	18	**Fleury** Barbès-Roch.	
K 15	14	**Flora-Tristan** (pl.) Pernety	
N 17	14	**Florale** (cité) Cité-Universitaire	
C 11	16	**Flore** (villa) Michel-A.-Auteuil	
K 1	17	**Floréal** Pte de St-Ouen	
L 5	17	**Florence** (de) Pl. de Clichy	
D 11	16	**Florence-Blumenthal** Mirabeau	
T 5	19	**Florentine** (cité) Botzaris	

plan	arr.	appellation	métro RER tramway
I2	16	Florentine-Estrade (cité)	Égl. d'Auteuil
	20	Florian	Maraîchers
I5	14	Florimont (imp.)	Plaisance
C7	11	Flourens (pass.)	Pte de St-Ouen
	16	Foch (av.)	Ch.-de-Gaulle, Victor-Hugo, Pte Dauphine
I0	9	Foin (du)	Chemin-Vert
	11	Folie-Méricourt (de la)	St-Ambroise, Oberkampf
P10	11	Folie-Regnault (pass. de la)	Père-Lachaise
I0	11	Folie-Regnault (de la)	Ph.-Auguste, Père-Lachaise
I2	15	Fondary	Émile-Zola
I2	15	Fondary (villa)	Émile-Zola
A4	11	Fonderie (pass. de la)	Parmentier
I7	12	Fonds-Verts (des)	Dugommier
I7	13	Fontaine-à-Mulard (de la)	Tolbiac
I4	11	Fontaine-au-Roi (de la)	Goncourt
	19	Fontaine-aux-Lions (pl. de la)	Pte de Pantin
I3	13	Fontainebleau (all. de)	Pte de Pantin
I8	18	Fontaine-du-But (de la)	Lamarck-Caul.
	3	Fontaines-du-Temple (des)	Arts-et-Métiers
I0	20	Fontarabie (de)	A.-Dumas
H15	15	Fontenay (villa de)	Danube
I1	7	Fontenoy (pl. de)	Ségur
	19	Forceval	Pte de la Villette
	8	Forest	Pl. de Clichy
	3	Forez (du)	Filles-du-Calvaire
	11	Forge-Royale (pass.)	Ledru-Rollin
I8	18	Forges (des)	Sentier
3	17	Fort-de-Vaux (bd du)	Pte de Champerret
	18	Fortin (imp.)	St-Philippe.-du-R.
5	17	Fortuny	Malesherbes
	1	Forum des Halles	Châtelet-Les Halles
5	5	Fossés-St-Bernard (des)	Cardinal-Lemoine
I2	5	Fossés-St-Jacques (des)	Luxembourg
I4	5	Fossés-St-Marcel (des)	St-Marcel
I7	5	Fouarre (du)	Maubert-Mutualité
9	16	Foubert (pass.)	Tolbiac
I9	16	Foucault	Iéna
5	20	Fougères (des)	St-Fargeau
3	6	Four (du)	Mabillon, St-Sulpice
I4	15	Fourcade	Convention
5	17	Fourcroy	Ternes
I0	6	Fourcy (de)	St-Paul
3	18	Fourneyron	Brochant
5	19	Fours-à-Chaux (pass. des)	Bolivar
4	18	Foyatier	Anvers
I2	8	Fragonard	Pte de Clichy
2		Fraisiers (ruelle des)	Gare de Lyon
	1/2	Française	Étienne-Marcel
I5	13	France (av. de)	Bibliothèque François Mitterrand, Quai de la Gare
8	3	Franche-Comté (de)	Filles-du-Calvaire
I1	11	Franchemont (imp.)	Charonne
I3	18	Francis-Carco	Max-Dormoy
I1	18	Francis-de-Croisset	Pte de Clignancourt
I8	18	Francis-de-Miomandre	Cité Universitaire
I5	14	Francis-de-Pressensé	Pernety
I1	15	Francis-Garnier	Pte de St-Ouen
5	10	Francis-Jammes	Colonel-Fabien
5	7	Francis-Picabia	Couronnes
5	19	Francis-Ponge	Danube
4	19	Francis-Poulenc (pl.)	Ourcq
I1	6	Francisque-Gay	St-Michel
9	16	Francisque-Sarcey	Passy
I7	13	Franc-Nohain	Pte d'Ivry
I3	13	Franceur	Lamarck-Caul.
I3	13	François-Bloch-Lainé	Gare d'Austerlitz
H12	15	François-Bonvin	Sèvres-Lecourbe
F13	15	François-Coppée	Boucicaut
T10	11	François-de-Neufchâteau (pass.)	Voltaire
C12	16	François-Gérard	Égl. d'Auteuil
S15	13	François-Mauriac (q.)	Quai Gare, Bibliothèque François Mitterrand
D11	16	François-Millet	Jasmin
M9	1	François-Mitterrand (q.)	Palais-Royal, Louvre-Rivoli
	4	François-Miron	St-Paul
P10	15	François-Mouthon	Boucicaut
U5	19	François-Pinton	Danube
D10	16	François-Ponsard	La Muette
H8	8	François-1er (pl.)	F.-D.-Roosevelt
H8	8	François-1er	F.-D.-Roosevelt, George-V
T15	12	François-Truffaut	Cour St-Émilion
G14	15	François-Villon	Convention
T16	13	Françoise-Dolto	Bibliothèque François Mitterrand
G9	7	Franco-Russe (av.)	Pt de l'Alma
Q10	3/4	Francs-Bourgeois (des)	St-Paul, Rambuteau
J8	8	Franklin-Delano-Roosevelt (av.)	F.-D.-Roosevelt, St-Philippe-du-R.
H15	15	Franquet	Plaisance
D9	19	Franqueville (de)	La Muette
O6	10	Franz-Liszt (pl.)	Poissonnière
U5	19	Fraternité (de la)	Danube
H7	8	Frédéric-Bastiat	St-Philippe-du-R.
L1	17	Frédéric-Brunet	Pte de St-Ouen
U6	20	Frédérick-Lemaître	Jourdain
H10	7	Frédéric-Le-Play (av.)	École Militaire
W11	15	Frédéric-Loliée	Maraîchers
F13	15	Frédéric-Magisson	Félix-Faure
E14	14	Frédéric-Mistral	Lourmel
F14	15	Frédéric-Mistral (villa)	Lourmel
V5	19	Frédéric-Mourlon	Pré-St-Gervais
O11	5	Frédéric-Sauton	Maubert-Mutualité
N1	18	Frédéric-Schneider	Pte de Clignancourt
H14	15	Frédéric-Vallois (sq.)	Convention
T7	15	Fréhel (pl.)	Pyrénées
G12	15	Frémicourt	Cambronne, Émile-Zola
E10	16	Frémiet (av.)	Passy
V10	20	Fréquel (pass.)	A.-Dumas
Q17	13	Frères-d'Astier-de-la-Vigerie (des)	Maison-Blanche
X6	20	Frères-Flavien (des)	Pte des Lilas
F13	15	Frères-Morane (des)	Félix-Faure
G8	16	Frères-Périer (des)	Alma-Marceau
C16	16	Frères-Voisin (bd des)	Corentin Celton, Issy Val-de-Seine
C16	15	Frères-Voisin (all. des)	Corentin Celton
G9	16	Fresnel	Iéna
G8	16	Freycinet	Alma-Marceau
L16	14	Friant	Alésia, Pte d'Orléans
H6	8	Friedland (av.)	Ch.-de-G.-Étoile
S15	13	Frigos (des)	Bibliothèque François Mitterrand
N5	9	Frochot (av.)	Pigalle
M5	9	Frochot	Pigalle
L14	14	Froidevaux	Denfert-Roch., Gaîté
Q9	3	Froissart	St-Sébastien-Froissart
R10	9	Froment	Bréguet-Sabin
M5	9	Fromentin	Blanche
L1	17	Fructidor	Pte de St-Ouen
R14	9	Fulton	Quai de la Gare
M10	6	Fürstemberg (de)	St-Germain-des-P.
K15	14	Furtado-Heine	Alésia
N13	5	Fustel-de-Coulanges	Port-Royal

G

plan	arr.	appellation	métro RER tramway
W12	12	Gabon (du)	Pte de Vincennes

plan	arr.	appellation	métro RER tramway
K 8	8	Gabriel (av.)	Ch.-Élysées-C.
K 13	15	Gabriel (villa)	Falguière
J 4	17	Gabriel-Fauré (sq.)	Malesherbes
T 15	12	Gabriel-Lamé	Cour St-Émilion
O 7	10	Gabriel-Laumain	Bonne-Nouvelle
N 4	18	Gabrielle	Abbesses
S 6	19	Gabrielle-d'Estrée (all.)	Belleville
L 6	8	Gabriel-Péri (pl.)	St-Lazare
Q 8	3	Gabriel-Vicaire	Temple
R 9	11	Gaby-Sylvia	Richard-Lenoir
H 14	15	Gager-Gabillot	Vaugirard
V 6	20	Gagliardini (villa)	Ptes des Lilas
M 7	2	Gaillon (pl.)	4-sept
M 8	2	Gaillon	Opéra
L 13	14	Gaîté (imp. de la)	Edgar-Quinet
L 13	14	Gaîté (de la)	Edgar-Quinet
O 11	5	Galande	Maubert-Mutualité
G 7	8/16	Galilée	Boissière, George-V
W 9	20	Galleron	Pte de Bagnolet
C 15	15	Gallieni (bd)	Bd Victor
G 8	16	Galliéra (bd)	Iéna
F 4	17	Galvani	Pte de Champerret
W 6	20	Gambetta (av.)	Père-Lachaise, Gambetta, Pelleport, St-Fargeau, Pte des Lilas
V 7	20	Gambetta (pass.)	St-Fargeau
V 8	20	Gambetta	Gambetta
R 8	11	Gambey	Parmentier
Q 17	13	Gandon	Maison-Blanche
L 3	18	Ganneron	La Fourche
L 3	18	Ganneron (pass.)	La Fourche
U 3	19	Garance (all. de la)	Pte de Pantin
M 11	6	Garancière	Mabillon
P 4	18	Gardes (des)	Barbès-Roch.
T 16	13	Gare (q. de la)	Quai de la Gare
S 15	13	Gare (port de la)	Quai de la Gare
R 1	19	Gare	Crimée
U 13	12	Gare-de-Reuilly (de la)	Daumesnil
K 15	14	Gare	Pernety
J 12	15	Garibaldi (bd)	Cambronne, Sèvres-Lecourbe
C 14	15/16	Garigliano (pt du)	Exelmans
K 13	15	Garnier (villa)	Falguière
T 3	19	Garonne (av.)	Ourcq
M 4	18	Garreau	Abbesses
X 10	20	Gascogne (sq. de la)	Pte de Montreuil
U 8	20	Gasnier-Guy	Gambetta
L 14	14	Gassendi	Denfert-Roch.
O 2	18	Gaston-Auguet	Simplon
K 16	14	Gaston-Bachelard (all.)	Didot
F 5	17	Gaston-Bertandeau (sq.)	Pte Maillot
G 16	15	Gaston-Boissier	Georges Brassens
N 3	18	Gaston-Couté	Lamarck-Caul.
R 1	19	Gaston-Darboux	Pte de la Chapelle
E 11	15	Gaston-de-Caillavet	Charles-Michels
G 8	16	Gaston-de-St-Paul	Alma-Marceau
M 13	6	Gaston-Monnerville (espl.)	Port-Royal
U 4	19	Gaston-Pinot	Danube
R 4	19	Gaston-Rébuffat	Stalingrad
R 2	19	Gaston-Tessier	Corentin Cariou
Q 1	18	Gaston-Tissandier	Pte de la Chapelle
S 12	12	Gatbois (pass.)	Gare de Lyon
V 8	20	Gâtines (des)	Gambetta
S 8	20	Gaudelet (villa)	Ménilmontant
M 16	14	Gauguet	Alésia
H 3	17	Gauguin	Pereire
K 2	17	Gauthey	Brochant
S 6	19	Gauthier (pass.)	Buttes-Chaumont
E 9	16	Gavarni	Passy
N 13	5	Gay-Lussac	Luxembourg
N 17	14	Gazan	Cité Universitaire
K 5	17	Geffroy-Didelot (pass.)	Villiers
D 6	16	Général-Anselin (du)	Pte Maillot
D 7	16	Général-Appert (du)	Pte Dauphine
X 14	12	Général-Archinard (du)	Pte Dorée
D 10	16	Général-Aubé (du)	La Muette
B 12	16	Général-Balfourier (av. du)	Michel-A.-Molitor
G 11	15	Général-Baratier (du)	La Motte-Picquet
J 12	15	Général-Bertrand (du)	Duroc
H 13	15	Général-Beuret (pl. du)	Vaugirard
H 13	15	Général-Beuret (du)	Vaugirard
S 9	11	Général-Blaise (du)	St-Ambroise
H 6	8	Général-Brocard (pl. du)	Courcelles
U 5	19	Général-Brunet (du)	Botzaris, Danube
G 10	7	Général-Camou (du)	Pt de l'Alma
J 5	17	Général-Catroux (pl.)	Malesherbes
B 14	16	Général-Clavery (du)	Pte de St-Cloud
E 7	16	Général-Clergerie (du)	Victor-Hugo
U 4	19	Général-Cochet (pl. du)	Pte de Pantin
G 11	15	Général-de-Castelnau (du)	La Motte-Picqu.
U 16	12	Général-de-Langle-de-Cary (du)	Pte de Charenton
G 11	15	Général-de-Larminat (du)	La Motte-Picqu.
B 13	16	Général-Delestraint (du)	Exelmans
K 17	14	Général-de-Maud'huy (du)	Pte d'Orléans
G 11	15	Général-Denain (du)	Dupleix
G 11	7	Général-Détrie (av. du)	La Motte-Picquet
W 15	12	Général-Dodds (du)	Pte Dorée
C 11	16	Général-Dubail (av. du)	Ranelagh
J 8	8	Général-Eisenhower (av. du)	Ch.-Élysées-C.
E 13	15	Général-Estienne (du)	Charles-Michels
G 10	7	Général-Ferrié (du)	Champ de Mars
K 6	8	Général-Foy (du)	Villiers
G 10	7	Général-Gouraud (pl. du)	Pt de l'Alma
S 9	11	Général-Grossetti (du)	Pte de St-Cloud
S 9	11	Général-Guilhem (du)	Rue St-Maur
F 16	15	Général-Guillaumat (du)	Georges Brassens
L 2	17	Général-Henrys (du)	Pte de St-Ouen
H 16	14	Général-Humbert (du)	Pte de Vanves
S 7	19	Général-Ingold (du)	Belleville
G 11	7/15	Général-Jacques-Pâris-de-Bollardière (carref.)	La Motte-Picquet
S 17	13	Général-Jean-Simon (bd du)	Bibliothèque François Mitterrand, Porte d'Ivry
E 5	17	Général-Kœnig (du)	Pte Maillot
G 10	7	Général-Lambert (du)	Champ de Mars
E 9	16	Général-Langlois (du)	Rue de la Pompe
G 6	17	Général-Lanrezac (du)	Ch.-de-G.-Étoile
W 15	12	Général-Laperrine (av. du)	Pte Dorée
C 11	16	Général-Largeau (du)	Michel-A.-Auteuil
S 6	19	Général-Lasalle (du)	Belleville
M 15	14	Général-Leclerc (av. du)	Denfert-Roch., Mouton-Duvernet, Alésia, Pte d'Orléans
M 9	1	Général-Lemonnier (av. du)	Tuileries
D 14	15	Général-Lucotte (du)	Balard
K 17	14	Général-Maistre (av. du)	Pte d'Orléans
B 14	16	Général-Malleterre (du)	Pte de St-Cloud
E 10	16	Général-Mangin (av. du)	Av. du Pdt-Kenne.
G 10	7	Général-Marguerite (av. du)	Ecole Militai.
D 14	15	Général-Martial-Valin (bd du)	Bd Victor, Balard
W 14	12	Général-Messimy (av. du)	Pte Dorée
V 14	12	Général-Michel-Bizot (av. du)	Pte de Charenton, Michel-Bizot, Bel-Air
J 15	15	Général-Monclar (pl.)	Plaisance
W 12	20	Général-Niessel (du)	Pte de Vincennes
B 14	16	Général-Niox (du)	Pte de St-Cloud
F 6	17	Général-Patton (du)	Argentine
S 9	11	Général-Renault (du)	St-Ambroise

plan	arr.	appellation	métro RER tramway
3	16	Général-Roques (du) *Pte de St-Cloud*
6	19	Général-San-Martin (av. du) *Buttes-Chaumont*
2	16	Général-Sarrail (av. du) *Pte d'Auteuil*
6	14	Général-Séré-de-Rivières (du) *Pte de Vanves*
3	16	Général-Stéfanik (pl. du) *Pte de St-Cloud*
1	20	Général-Tessier-de-Marguerittes (pl. du) *Pte de Montreuil*
0	7	Général-Tripier (av. du) *Dupleix*
7	16	Généraux-de-Trentinian (pl. des) *Pte Dauphine*
7	20	Gênes (cité de) *Couronnes*
2	12	Génie (pass. du) *Reuilly-Diderot*
5	20	Géo-Chavez *Pte de Bagnolet*
8	9	Geoffroy-l'Angevin *Rambuteau*
0	4	Geoffroy-l'Asnier *St-Paul*
9	9	Geoffroy-Marie *Grands-Boulevards*
3	5	Geoffroy-St-Hilaire *St-Marcel, Monge*
1	13	George-Balanchine *Quai de la Gare*
1	16	George-Bernard-Shaw *Dupleix*
8	8	George-V (av.) *Alma-Marceau, George-V*
6	13	George-Eastman *Pl. d'Italie*
2	12	George-Gershwin *Cour St-Emilion*
1	16	George-Sand *Égl. d'Auteuil*
1	16	George-Sand (villa) *Jasmin*
1	20	Georges-Ambroise-Boisselat et Blanche (cité) *Pte de Montreuil*
4	17	Georges-Auric *Ourcq*
5	17	Georges-Berger *Monceau*
5	5	Georges-Bernanos (av.) *Port-Royal*
6	9	Georges-Berry (pl.) *Havre-Caum.*
3	14	Georges-Besse (all.) *Raspail, Edgar-Quinet*
8	14	Georges-Bizet *Alma-Marceau*
7	14	Georges-Braque *Cité Universitaire*
2	12	Georges-Citerne *Dupleix*
4	12	Georges-Contenot (sq.) *Daumesnil*
3	5	Georges-de-Porto-Riche *Pte d'Orléans*
4	5	Georges-Desplas *Censier-Daubenton*
4	15	Georges-Duhamel *Pernety*
1	15	Georges-Dumézil *Dupleix*
3	8	Georges et Maï-Politzer *Montgallet*
7	8	Georges-Guillaumin (pl.) *Ch.-de-G.-Étoile*
4	16	Georges-Lafenestre (av.) *Didot*
4	16	Georges-Lafont (av.) *Pte de St-Cloud*
8	19	Georges-Lardennois *Colonel-Fabien*
5	15	Georges-Leclanché *Volontaires*
2	12	Georges-Lesage (sq.) *Quai de la Rapée*
9	16	Georges-Leygues *Av. H.-Martin*
6	16	Georges-Mandel (av.) *Trocadéro, Rue de la Pompe*
2	15	Georges-Mulot (pl.) *Sèvres-Lecourbe*
8	20	Georges-Perec *Pte de Bagnolet*
4	15	Georges-Pitard *Plaisance*
3	3	Georges-Pompidou (pl.) *Rambuteau*
1	4	Georges-Pompidou (voie)
9	19	Georges-Récipon (all.) *Bolívar*
3	16	Georges-Risler (all.) *Exelmans*
7	20	Georges-Rouault (all.) *Couronnes*
5	14	Georges-Saché *Mouton-Duvernet*
9	5/18	Geaorges-Ulmer (prom.) *Pigalle*
2	16	Georges-Ville *Victor-Hugo*
2	18	Georgette-Agutte *Pte de St-Ouen*
2	20	Georgina (villa) *Télégraphe*
5	9	Gérando *Anvers*
6	13	Gérard *Pl. d'Italie*
1	18	Gérard-de-Nerval *Pte de St-Ouen*

plan	arr.	appellation	métro RER tramway
C 8	16	Gérard-Philipe *Av. H.-Martin*
G 14	15	Gerbert *Vaugirard*
T 10	11	Gerbier *Ph.-Auguste*
J 15	14	Gergovie (pass. de) *Plaisance*
K 15	14	Gergovie (de) *Pernety*
B 12	16	Géricault *Michel-A.-Auteuil*
M 4	18	Germain-Pilon (cité) *Pigalle*
M 4	18	Germain-Pilon *Pigalle*
T 3	19	Germaine-Tailleferre *Ourcq*
T 14	12	Gerty-Archimède *Cour St-Emilion*
G 4	17	Gervex *Pereire*
O 10	4	Gesvres (q. de) *Châtelet*
R 4	13	Giffard *Quai de la Gare*
L 15	14	Gilbert-Perroy (pl.) *Mouton-Duvernet*
M 14	14	Gilbert-Privat (pl.) *Denfert-Roch.*
T 14	12	Ginette-Hamelin (pl.) *Cour St-Emilion, Bercy*
O 1	17	Ginette-Neveu *Pte de Clignancourt*
S 13	12	Ginkgo (cour du) *Bercy*
F 12	9	Ginoux *Charles-Michels*
K 16	14	Giordano-Bruno *Alésia*
M 3	18	Girardon (imp.) *Lamarck-Caul.*
N 3	18	Girardon *Lamarck-Caul.*
B 12	16	Girodet *Michel-A.-Auteuil*
T 12	19	Gironde (q. de la) *Corentin-Cariou*
N 11	6	Gît-le-Cœur *St-Michel*
O 14	13	Glacière (de la) *Les Gobelins, Glacière*
W 6	20	Glaïeuls (des) *Pte des Lilas*
D 11	16	Glizières (villa des) *Mirabeau*
M 7	9	Gluck *Opéra*
O 17	19	Glycines (des) *Cité Universitaire*
P 15	5/13	Gobelins (av. des) *Les Gobelins, Pl. d'Italie*
O 14	13	Gobelins (des) *Les Gobelins*
P 15	13	Gobelins (villa des) *Les Gobelins*
P 15	11	Gobert *Charonne*
S 10	13	Godefroy *Pl. d'Italie*
V 9	11	Godefroy-Cavaignac *Voltaire*
L 7	20	Godin (villa) *A.-Dumas*
G 8	9	Godot-de-Mauroy *Madeleine*
Q 4	16	Gœthe *Alma-Marceau*
O 8	2	Goix (pass.) *Stalingrad*
M 8	2	Goldoni (place) *Étienne-Marcel*
M 8	1	Gomboust (imp.) *Pyramides*
R 7	1	Gomboust *Pyramides*
S 10	13	Goncourt (des) *Goncourt*
U 11	11	Gonnet *Rue des Boulets*
A 12	16	Gordon-Bennett (av.) *Pte d'Auteuil*
V 14	12	Gossec *Michel-Bizot*
W 12	12	Got (sq.) *Pte de Vincennes*
U 4	17	Goubet *Danube*
H 5	17	Gounod *Wagram*
G 4	17	Gourgaud (av.) *Pereire*
O 17	13	Gouthière *Pte d'Italie*
P 4	18	Goutte-d'Or (de la) *Barbès-Roch.*
F 4	17	Gouvion-St-Cyr (bd) *Pte de Champerret, Pte Maillot*
F 5	17	Gouvion-St-Cyr (sq.) *Pte Maillot*
M 11	6	Gozlin *St-Germain-des-P.*
S 7	10	Grâce-de-Dieu (cour de la) *Belleville*
O 13	5	Gracieuse *Place Monge*
F 4	17	Graisivaudan (sq. du) *Pte de Champerret*
G 12	15	Gramme *Commerce*
M 7	2	Gramont (de) *4-sept*
L 15	14	Grancey (de) *Denfert-Roch.*
O 9	1	Grand-Balcon "Forum des Halles" *Châtelet-Les Halles*
O 8	2	Grand-Cerf (pass. du) *Étienne-Marcel*
F 6	16/17	Grande-Armée (av. de la) *Ch.-de-Gaulle, Argentine, Pte Maillot*
F 6	17	Grande-Armée (villa de la) *Argentine*

plan	arr.	appellation	métro RER tramway
M 13	6	**Grande-Chaumière** (de la)	Vavin
O 9	1	**Grande-Galerie** "Forum des Halles"	Châtelet-Les Halles
O 9	1	**Grande-Truanderie** (de la)	Les Halles
U 6	20	**Grandes-Rigoles** (pl. des)	Jourdain
R 8	11	**Grand-Prieuré** (du)	Oberkampf
N 10	6	**Grands-Augustins** (q. des)	St-Michel
N 10	6	**Grands-Augustins** (des)	St-Michel
W 11	6	**Grands-Champs** (des)	Buzenval
O 11	5	**Grands-Degrés** (des)	Maubert-Mutualité
S 16	13	**Grands-Moulins** (des)	Bibliothèque François Mitterrand
Q 10	3	**Grand-Veneur** (du)	Chemin-Vert
N 14	13	**Grangé** (sq.)	Glacière
Q 6	10	**Grange-aux-Belles** (de la)	J.-Bonsergent, Colonel-Fabien
N 7	9	**Grange-Batelière** (de la)	Richelieu-Drouot
V 14	12	**Gravelle** (de)	Daumesnil
P 9	3	**Gravilliers** (pass. des)	Arts-et-Métiers
P 8	3	**Gravilliers** (des)	Arts-et-Métiers
L 7	8	**Greffulhe**	Havre-Caum.
N 11	6	**Grégoire-de-Tours**	Odéon
V 3	19	**Grenade** (de la)	Pte de Pantin
G 12	15	**Grenelle** (bd de)	Bir-Hakeim, Dupleix, La Motte-Picquet
E 11	15/16	**Grenelle** (pt de)	Charles-Michels
F 11	15	**Grenelle** (q. de)	Bir-Hakeim
E 11	15	**Grenelle** (port de)	Bir-Hakeim
L 11	6/7	**Grenelle** (de)	St-Sulpice, Rue du Bac, Varenne, Latour-Maubourg, École Militaire
G 12	15	**Grenelle** (villa de)	Dupleix
O 8	2	**Greneta** (cour)	Réaumur-Sébastopol
O 8	2/3	**Greneta**	Réaumur-Sébastopol
P 9	3	**Grenier-St-Lazare** (du)	Rambuteau
P 10	4	**Grenier-sur-l'Eau** (du)	Pont-Marie
W 9	20	**Grés** (pl. des)	Pte de Bagnolet
S 3	19	**Gresset**	Crimée
M 7	2	**Grétry**	Quatre septembre
E 8	16	**Greuze**	Trocadéro
L 10	7	**Gribeauval** (de)	Rue du Bac
P 13	13	**Gril** (du)	Censier-Daubenton
T 5	19	**Grimaud** (imp.)	Botzaris
H 12	15	**Grisel** (imp.)	Cambronne
S 8	11	**Griset** (cité)	Ménilmontant
V 10	20	**Gros** (imp.)	Maraîchers
D 11	16	**Gros**	Av. du Pdt-Kennedy
H 10	7	**Gros-Caillou** (du)	École Militaire
H 9	7	**Gros-Caillou** (port du)	Pont de l'Alma
N 2	18	**Grosse-Bouteille** (imp. de)	Pte de Clignancourt
W 7	20	**Groupe-Manouchian** (du)	St-Fargeau
Q 3	18	**Guadeloupe** (de la)	Marx-Dormoy
K 6	8	**Guatemala** (pl. du)	St-Augustin
B 14	16	**Gudin**	Pte de St-Cloud
P 2	18	**Gué** (imp. du)	Pte de la Chapelle
W 7	20	**Guébriant** (de)	St-Fargeau
M 4	18	**Guelma** (imp. de)	Pigalle
Q 10	4	**Guéménée** (imp.)	Bastille
N 10	6	**Guénégaud**	Odéon
U 11	11	**Guénot** (pass.)	Rue des Boulets
U 11	11	**Guénot**	Rue des Boulets
O 8	2	**Guérin-Boisseau**	Réaumur-Sébastopol
F 5	17	**Guersant**	Pte Maillot
D 9	16	**Guibert** (villa)	Rue de la Pompe
D 10	16	**Guichard**	La Muette
U 7	20	**Guignier** (pl. du)	Jourdain
U 7	20	**Guignier** (du)	Jourdain
D 10	16	**Guignières** (villa des)	La Muette, Boulainvilliers
S 9	11	**Guilhem** (pass.)	Rue St-Maur

plan	arr.	appellation	métro RER tramway
M 10	6	**Guillaume-Apollinaire**	St-Germain-des-P.
S 9	11	**Guillaume-Bertrand**	Rue St-Maur
G 4	17	**Guillaume-Tell**	Pereire
S 12	12	**Guillaumot**	Gare de Lyon
P 10	4	**Guillemites** (des)	Hôtel-de-Ville
M 11	6	**Guisarde**	Mabillon
F 6	17	**Guizot** (villa)	Argentine
E 5	17	**Gustave-Charpentier**	Pte Maillot
F 9	16	**Gustave-V-de-Suède** (av.)	Trocadéro
E 8	16	**Gustave-Courbet**	Victor-Hugo
H 4	17	**Gustave-Doré**	Wagram
G 10	7	**Gustave-Eiffel** (av.)	Champ de Mars
G 5	17	**Gustave-Flaubert**	Courcelles
O 14	13	**Gustave-Geffroy**	Les Gobelins
P 7	10	**Gustave-Goublier**	Strasbourg-St-Denis
G 13	15	**Gustave-Larroumet**	Commerce
K 17	14	**Gustave-le-Bon**	Pte d'Orléans
T 10	11	**Gustave-Lepeu** (pass.)	Charonne
D 9	16	**Gustave-Nadaud**	La Muette
N 2	18	**Gustave-Rouanet**	Pte de Clignancourt
M 5	9	**Gustave-Toudouze** (pl.)	St-Georges
D 10	16	**Gustave-Zédé**	Ranelagh
E 12	15	**Gutenberg**	Javel
J 2	17	**Guttin**	Pte de Clichy
X 13	12	**Guyane** (bd de la)	Pte Dorée
P 12	5	**Guy-de-la-Brosse**	Jussieu
D 9	16	**Guy-de-Maupassant**	Av. H.-Martin
W 10	20	**Guyenne** (sq. de la)	Pte de Montreuil
L 3	17	**Guy-Môquet**	Brochant, Guy-Môquet
M 12	6	**Guynemer**	St-Placide
O 5	9	**Guy-Patin**	Barbès-Roch.
O 17	13	**Guyton-de-Morveau**	Corvisart

H

plan	arr.	appellation	métro RER tramway
H 9	7	**Habib-Bourguiba** (esplanade)	Pte de l'Alma
R 1	19	**Haie-Coq** (de la)	Pte de la Chapelle
W 10	20	**Haies** (des)	Buzenval
U 4	19	**Hainaut** (du)	Ourcq
M 7	9	**Halévy**	Opéra
M 15	14	**Hallé**	Mouton-Duvernet
M 15	14	**Hallé** (villa)	Mouton-Duvernet
O 9	1	**Halles** (des)	Châtelet
F 15	15	**Hameau** (du)	Pte de Versailles
T 6	19	**Hannah Arendt** (pl.)	Botzaris
M 7	2	**Hanovre** (de)	Quatre septembre
V 9	20	**Hardy** (villa)	Gambetta
N 10	1	**Harlay** (de)	Châtelet
H 15	15	**Harmonie** (de l')	Plaisance
N 11	5	**Harpe** (de la)	St-Michel
W 7	20	**Harpignies**	Pte de Montreuil
T 5	19	**Hassard**	Buttes-Chaumont
P 9	3	**Haudriettes** (des)	Rambuteau
M 7	8/9	**Haussmann** (bd)	Richelieu-Drouot, Chaussée d'Antin, Havre-Caum., St-Augustin, Miromesnil, St-Philippe-du-R.
N 11	6	**Hautefeuille** (imp.)	St-Michel
N 11	6	**Hautefeuille**	St-Michel
U 5	19	**Hauterive** (villa d')	Danube
O 6	10	**Hauteville** (cité d')	Poissonnière
O 6	10	**Hauteville** (d')	Bonne-Nouvelle, Poissonnière
Q 16	13	**Hautes-Formes** (des)	Olympiades
W 10	20	**Hautes-Traverses** (villa des)	Maraîchers
O 11	5	**Haut-Pavé** (du)	Maubert-Mutualité
T 5	19	**Hautpoul** (d')	Botzaris
V 6	19	**Hauts-de-Belleville** (villa des)	St-Fargeau
L 6		**Havre** (cour du)	St-Lazare
L 6		**Havre** (pass. du)	St-Lazare
L 6	8/9	**Havre** (du)	St-Lazare
L 6	8/9	**Havre** (du)	Havre-Caum., St-Lazare

24

plan	arr.	appellation	métro RER tramway
8	20	Haxo (imp.)	St-Fargeau
6	19/20	Haxo	St-Fargeau, Pte des Lilas
2	18	Hébert (pl.)	Marx-Dormoy
2	10	Hébrard (pass.)	Belleville
13	12	Hébrard (ruelle des)	Dugommier
7	19	Hector-Guimard	Belleville
12	12	Hector-Malot	Gare de Lyon
4	18	Hégésippe-Moreau	La Fourche
7	9	Helder (du)	Chaussée-d'Antin
4	17	Hélène	La Fourche
16	13	Hélène-Brion	Bibliothèque François Mitterrand
7	20	Hélène-Jakubowicz	Pelleport
4	17	Héliopolis (d')	Pte de Champerret
12	12	Hennel (pass.)	Reuilly-Diderot
5	9	Henner	Blanche
17	14	Henri-Barboux	Pte d'Orléans
5	14	Henri-Barbusse	Port-Royal
16	13	Henri-Becque	Glacière
9	8	Henri-Bergson (pl.)	St-Augustin
13	13	Henri-Bocquillon	Félix-Faure
1	11	Henri-Brisson	Pte de St-Ouen
9	16	Henri-Chevreau	Ménilmontant
14	16	Henri-de-Bornier (av. H.-Martin)	
13	14	Henri-Delormel (sq.)	Mouton-Duvernet
13	12	Henri-Desgrange	Bercy
8	20	Henri-Dubouillon	St-Fargeau
12	15	Henri-Duchêne	Émile-Zola
9	17	Henri-Duparc (sq.)	Malesherbes
7	20	Henri-Duvernois	Pte de Bagnolet
6	10	Henri-Feulard	Colonel-Fabien
12	19	Henri-Fiszbin (pl.)	
7	12	Henri-Frenay (pl.)	Gare de Lyon
2	16	Henri-Gaillard (souterrain)	Pte Dauphine
11	16	Henri-Heine	Jasmin
7	1	Henri-Huchard	Pte de St-Ouen
7	20	Henri-Krasucki (pl.)	Jourdain
13	13	Henri-Langlois (pl.)	Pl. d'Italie
8	16	Henri-Martin (av.)	Rue de la Pompe
8	20	Henri-Matisse (pl.)	Gambetta
16	13	Henri-Michaux	Tolbiac
7	7	Henri-Moissan	Invalides
11	6	Henri-Mondor (pl.)	Odéon
5	19	Henri-Murger	Laumière
16	13	Henri-Noguères	Laumière
7	13	Henri-Pape	Tolbiac
7	20	Henri-Poincaré	Pelleport
11	4	Henri-IV (bd)	Sully-Morland, Bastille
12	4	Henri-IV (port)	Sully-Morland
12	4	Henri-IV (q.)	Quai de la Rapée, Sully-Morland
14	16	Henri-de-France (espl.)	Bd Victor
12	15	Henri-Queuille (pl.)	Sèvres-Lecourbe
10	11	Henri-Ranvier	Ph.-Auguste
7	14	Henri-Regnault	Place des Fêtes
16	19	Henri-Ribière (pl.)	Place des Fêtes
8	1	Henri-Robert	Pont-Neuf
5	17	Henri-Rochefort	Malesherbes
14	15	Henri-Rollet (pl.)	Convention
6	20	Henri-Tomasi	Pte de Montreuil
6	19	Henri-Turot	Colonel-Fabien
12	16	Henry-Bataille (sq.)	Ranelagh
16	16	Henry-de-Bournazel	Didot
11	6	Henry-de-Jouvenel	St-Sulpice
14	16	Henry-de-la-Vaulx	Pte de St-Cloud
9	7	Henry-de-Montherlant (pl.)	Musée d'Orsay
4	8	Henry-Dunant (pl.)	George-V
15	15	Henry-Farman	Balard
5	9	Henry-Monnier	St-Georges
12	16	Henry-Paté (sq.)	Mirabeau
K 1	17	Hérault-de-Séchelles	Pte de St-Ouen
F 12	15	Héricart	Charles-Michels
O 2	18	Hermann-Lachapelle	Simplon
N 3	18	Hermel (cité)	Jules-Joffrin
O 2	18	Hermel	Jules-Joffrin
N 8	1	Hérold	Sentier
Q 6	19	Héron (cité)	Colonel-Fabien
E 8	16	Herran	Rue de la Pompe
D 8	16	Herran (villa)	Rue de la Pompe
N 13	13	Herschel	Port-Royal
H 14	15	Hersent (villa)	Vaugirard
Q 10	3	Hesse (de)	Chemin-Vert
N 6	9	Hippolyte-Lebas	N-D-de-Lorette
K 15	14	Hippolyte-Maindron	Pernety
N 11	6	Hirondelle (de l')	St-Michel
P 7	10	Hittorff (cité)	Château-d'Eau
P 7	10	Hittorff	Château-d'Eau
S 5	19	Hiver (cité)	Bolivar
H 6	8	Hoche (av.)	Courcelles, Ch.-de-Gaulle-Etoile
M 11	6	Honoré-Chevalier	St-Sulpice
E 12	15	Honoré-Gabriel-Riqueti (villa)	Javel
Q 13	5/13	Hôpital (bd de l')	Gare d'Austerlitz, St-Marcel, Campo-Formio, Pl. d'Italie
Q 6	10	Hôpital-St-Louis (de l')	Colonel-Fabien
N 10	1	Horloge (q. de l')	Châtelet
O 9	3	Horloge-à-Automates (pass. de l')	Rambuteau
J 16	14	Hortensias (all. des)	Didot
P 10	4	Hospitalières-St-Gervais (des)	St-Paul
O 11	15	Hôtel-Colbert (de l')	Maubert-Mutualité
P 10	4	Hôtel-d'Argenson (imp. de l')	St-Paul
O 10	4	Hôtel-de-Ville (de l')	Hôtel-de-Ville
P 10	4	Hôtel-de-Ville (q. de l')	Pont-Marie, Hôtel-de-Ville
P 11	4	Hôtel-de-Ville (de l')	Pont-Marie
Q 10	4	Hôtel-St-Paul	St-Paul
T 8	20	Houdart	Père-Lachaise
F 13	17	Houdart-de-Lamotte	Boucicaut
N 5	18	Houdon	Pigalle
T 8	20	Houseaux (villa des)	Père-Lachaise, Ménilmontant
G 13	15	Hubert-Monmarché (pl.)	Vaugirard
O 11	5	Huchette (de la)	St-Michel
T 10	11	Huit-Février-1962 (pl.)	Charonne
P 6	10	Huit-Mai-1945 (du)	Gare de l'Est
O 6	10	Huit-Novembre-1942 (pl. du)	Poissonnière
M 8	1	Hulot (pass.)	Palais-Royal
G 11	15	Humblot	Dupleix
H 3	17	Hutte-au-Garde (pass. de la)	Pte de Champerret, Porte de Clichy
F 9	16	Hussein 1er de Jordanie (av.)	Trocadéro
L 13	14	Huyghens	Vavin
L 12	6	Huysmans	N-D-des-Champs

I

plan	arr.	appellation	métro RER tramway
X 8	20	Ibsen (av.)	Pte de Bagnolet
G 8	16	Iéna (av. d')	Iéna, Ch.-de-Gaulle
F 8	16	Iéna (pl. d')	Iéna
F 9	7/16	Iéna (pt d')	Trocadéro
O 9	3	Igor-Stravinsky (pl.)	Rambuteau
V 12	12	Ile-de-la-Réunion (pl. de l')	Nation
M 15	14	Ile-de-Sein (pl. de l')	Alésia
U 11	11	Immeubles-Industriels (des)	Nation
V 4	19	Indochine (bd d')	Pte de Pantin
W 9	20	Indre (pl.)	Gambetta
S 8	11	Industrie (cité de l')	Rue St-Maur
T 11	11	Industrie (cour de l')	Faidherbe-Chal.
P 7	10	Industrie (pass. de l')	Strasbourg-St-Denis
P 17	13	Industrie (de l')	Maison-Blanche
S 10	11	Industrielle (cité)	Voltaire

25

plan	arr.	appellation — *métro RER tramway*
E 12	15	Ingénieur-Robert-Keller (de l') *Charles-Michels*
C 10	16	Ingres (av.) *Ranelagh*
O 9	1	Innocents (des) *Châtelet*
V 5	19	Inspecteur-Allès (de l') *Pré-St-Gervais*
M 10	6	Institut (pl. de l') *Louvre*
F 16	15	Insurgés-de-Varsovie (pl. des) *Georges Brassens*
L 6	8	Intérieure *St-Lazare*
P 17	13	Interne-Loeb (de l') *Maison-Blanche*
J 10	7	Invalides (bd des) *Varenne, St-François-Xavier, Duroc*
J 9	7	Invalides (espl. des) *Invalides*
J 10	7	Invalides (pl. des) *Invalides*
J 9	7/8	Invalides (pt des) *Invalides*
K 9	7	Invalides (port des) *Invalides*
W 8	20	Irénée-Blanc *Pte de Bagnolet*
N 17	13	Iris (des) *Cité Universitaire*
V 6	19	Iris (villa des) *Ptes des Lilas*
O 13	5	Irlandais (des) *Place Monge*
B 12	16	Isabey *Michel-A.-Auteuil*
O 4	18	Islettes (des) *Barbès-Roch.*
L 6	8	Isly (de l') *St-Lazare*
H 4	17	Israël (pl. d') *Wagram*
C 14	13	Issy-les-Moulineaux (q. d') *Balard*
P 17	13	Italie (av. d') *Pt. d'Italie, Tolbiac, Maison-Blanche, Pte d'Italie*
P 15	13	Italie (pl. d') *Pl. d'Italie*
P 17	13	Italie (d') *Tolbiac*
N 7	2/9	Italiens (bds des) *Richelieu-Dr., Opéra*
M 7	9	Italiens (des) *Quatre septembre*
R 17	13	Ivry (av. d') *Pte d'Ivry, Tolbiac*
T 16	13	Ivry (q. d') *Bibliothèque François Mitterrand*

J

plan	arr.	appellation
M 10	6	Jacob *St-Germain-des-P.*
M 8	1	Jacobins (pass. des) *Pyramides*
M 6	9	Jacob Kaplan (place) *Le Peletier, N.D. de Lorette, Chaussée d'Antin*
R 8	11	Jacquard *Parmentier*
K 4	17	Jacquemont *La Fourche*
K 3	17	Jacquemont (villa) *La Fourche*
K 10	7	Jacques-Bainville (pl.) *Solférino*
H 16		Jacques-Baudry *Pte de Vanves*
J 4	17	Jacques-Bingen *Malesherbes*
Q 7	10	Jacques-Bonsergent (pl.) *J.-Bonsergent*
M 10	6	Jacques-Callot *Odéon*
L 2		Jacques-Cartier *Guy-Môquet*
J 12	7	Jacques-Chaban-Delmas (esplanade) *St-François-Xavier*
R 11	4	Jacques-Cœur *Bastille*
M 11	6	Jacques-Copeau (pl.) *St-Germain-des-P.*
N 17	14	Jacques-Debu-Bridel (pl.) *Cité Universitaire*
L 15		Jacques-Demy (pl.) *Mouton Duvernet*
P 18	13	Jacques-Destrée *Pt d'Italie*
S 1	19	Jacques-Duchesne *Pte de la Villette*
J 13		Jacques-et-Thérèse-Tréfouel *Pasteur*
M 3	18	Jacques-Froment (pl.) *Guy-Môquet*
O 12	5	Jacques-Henri-Lartigue *Cardinal-Lemoine*
T 13	12	Jacques-Hillairet *Montgallet*
F 3	17	Jacques-Ibert *Louise-Michel*
Q 4	18	Jacques-Kablé *La Chapelle*
L 2	18	Jacques-Kellner *Pte de St-Ouen*
R 7	19	Jacques-Louvel-Tessier *Goncourt*
G 15	15	Jacques-Marette (pl.) *Convention*
F 14	15	Jacques-Mawas *Convention*
C 10	16	Jacques-Offenbach *Ranelagh*
T 8	20	Jacques-Prévert *Père-Lachaise*
M 7	9	Jacques-Rouché *Opéra*
G 10	7	Jacques-Rueff *Champ de Mars*
R 11	11	Jacques-Viguès (cour) *Ledru-Rollin*
K 16	17	Jacquier *Plaisance*
H 5	17	Jadin *Monceau*
O 13	5	Jaillot (pass.) *Place Monge*
K 16	14	Jamot (villa) *Didot*
S 6	19	Jandelle (cité) *Belleville*
D 10	16	Jane-Evrard (pl.) *La Muette, Boulainvilliers*
V 5	19	Janssen *Pré-St-Gervais*
V 8	20	Japon (du) *Gambetta*
N 10	11	Japy *Voltaire*
N 11	11	Jardinet (du) *Odéon*
U 11	11	Jardiniers (imp. des) *Rue des Boulets*
U 12	12	Jardiniers (des) *Pte de Charenton*
Q 11	4	Jardins-St-Paul (des) *Pont-Marie*
Q 10		Jarente (de) *St-Paul*
P 6		Jarry *Château-d'Eau*
C 11	16	Jasmin (cour) *Jasmin*
C 11	16	Jasmin *Jasmin*
C 11	16	Jasmin (sq.) *Jasmin*
U 12	12	Jaucourt *Nation*
G 14		Javel (de) *Javel, Charles-Michels, Félix-Faure, Convention*
D 12	15	Javel (port de) *Javel*
Q 16	13	Javelot (du) *Olympiades*
S 8	11	Jean-Aicard (av.) *Ménilmontant*
S 15		Jean-Anouilh *Bibliothèque François Mitterrand*
T 16		Jean-Antoine-de-Baïf *Bibliothèque François Mitterrand*
R 14	13	Jean-Arp *Quai de la Gare*
	13	Jean-Baptiste-Berlier *Bibliothèque François Mitterrand*
N 4	18	Jean-Baptiste-Clément (pl.) *Abbesses*
F 5	17	Jean-Baptiste-Dumas *Pereire*
T 6	20	Jean-Baptiste-Dumay *Jourdain*
F 12	15	Jean-Baptiste-Luquet (villa) *Charles-Michels*
M 5	9	Jean-Baptiste-Pigalle *Trinité, Pigalle*
N 5	9	Jean-Baptiste-Say *Anvers*
V 4	19	Jean-Baptiste-Semanaz *Pte de Pantin*
M 12		Jean-Bart *St-Placide*
R 10	4	Jean-Beausire (imp.) *Bastille*
R 10	4	Jean-Beausire (pass.) *Bastille*
R 10	4	Jean-Beausire *Bastille*
E 16		Jean-Bologne *Passy*
S 12	12	Jean-Bouton *Gare de Lyon*
O 13	5	Jean-Calvin *Censier-Daubenton*
G 11	7	Jean-Carriès *La Motte-Picquet*
M 15	14	Jean-Claude-Arnould *Denfert-Rochereau, Saint-Jacques*
O 1	18	Jean-Cocteau *Pte de Clignancourt*
R 16	13	Jean-Colly *Olympiades*
Q 2	9	Jean-Cottin *Marx-Dormoy*
H 12	15	Jean-Daudin *Sèvres-Lecourbe*
O 11	5	Jean-de-Beauvais (r.) *Maubert-Mutualité*
D 11	16	Jean-de-La-Fontaine *Av. du Pdt-Kennedy, Jasmin, Michel-A.-Auteuil*
P 17	13	Jean-Delay (pl.) *Maison-Blanche*
N 15	14	Jean-Dolent *St-Jacques*
M 2	18	Jean-Dollfus *Pte de St-Ouen*
P 11	4	Jean-du-Bellay *Hôtel-de-Ville*
Q 17	13	Jean-Dunand *Maison-Blanche*
R 5	10	Jean-Falck (sq.) *Jaurès*
R 16	13	Jean-Fautrier *Olympiades*
L 12	6	Jean-Ferrandi *St-Placide*
G 13	15	Jean-Formigé *Vaugirard*
G 12	15	Jean-Fourastié *Av. Emile-Zola*
L 12	6	Jean-François-Gerbillon *St-Placide*
P 4	18	Jean-François-Lépine *La Chapelle*
O 3	18	Jean-Gabin (pl.) *Marcadet-Pois.*
R 14	13	Jean-Giono *Quai de la Gare*

plan	arr.	appellation	métro RER tramway
7	16	**Jean-Giraudoux**	Kléber
14	12	**Jean-Godart** (villa)	Pte-Dorée
8	8	**Jean-Goujon**	Alma-Marceau
1	18	**Jean-Henri-Fabre**	Pte de Clignancourt
7	1	**Jean-Hugues**	Pte Dauphine
8	1	**Jean-Jacques-Rousseau**	Les Halles
3	19	**Jean-Jaurès** (av.)	Jaurès, Laumière, Ourcq, Pte de Pantin
12	12	**Jean-Lauprêtre** (pl.)	Reuilly-Diderot
10	1	**Jean-Lantier**	Châtelet
2	16	**Jean-Leclaire**	Guy-Môquet
2	16	**Jean-Lorrain** (pl.)	Michel-A.-Auteuil
11	17	**Jean-Louis-Forain**	Pereire
11	11	**Jean-Macé**	Charonne
14	18	**Jean-Marais** (pl.)	Abbesses
14	13	**Jean-Marie-Jégo**	Corvisart
5	19	**Jean-Ménans**	Bolivar
2	8	**Jean-Mermoz**	F.-D.-Roosevelt
15	14	**Jean-Minjoz**	Denfert-Rochereau, Saint-Jacques
6	10	**Jean-Moinon**	Belleville
8	16	**Jean-Monnet** (pl.)	Victor-Hugo
4	17	**Jean-Moréas**	Pte de Champerret
16	14	**Jean-Moulin** (av.)	Alésia
9	7	**Jean-Nicot** (pass.)	Latour-Maub.
9	7	**Jean-Nicot**	Latour-Maub.
1	19	**Jean-Nohain**	Jaurès
1	19	**Jean-Oberlé**	Pte de la Chapelle, Porte de la Villette
4	17	**Jean-Ostreicher**	Louise-Michel
9	8	**Jean-Paulhan** (all.)	Champ de Mars
10	16	**Jean-Paul-Laurens** (sq.)	Ranelagh
10	6	**Jean-Paul-Sartre-Simone-de-Beauvoir** (pl.)	St-Germain-des-Prés
11	11	**Jean-Pierre-Bloch**	Dupleix, Bir Hakeim
8	8	**Jean-Pierre-Lévy** (pl.)	Villiers
11	11	**Jean-Pierre-Timbaud**	Oberkampf, Parmentier, Couronnes
7	10	**Jean-Poulmarch**	J.-Bonsergent
4	14	**Jean-Pronteau** (pl.)	Pernety
6	19	**Jean-Quarré**	Pl. des Fêtes
12	12	**Jean-Renoir**	Cour St-Emilion
10	16	**Jean-Rey**	Bir-Hakeim
9	16	**Jean-Richepin**	Rue de la Pompe
3	18	**Jean-Robert**	Max-Dormoy
7	19	**Jean-Rostand** (pl.)	Belleville
10	16	**Jean-Sablon** (all.)	La Muette, Boulainvilliers
5	13	**Jean-Sébastien-Bach**	Nationale
16	15	**Jean-Sicard**	Brancion
12	15	**Jean-Thébaud** (sq.)	Cambronne
1	1	**Jean-Tison**	Louvre
1	15	**Jean-Varenne**	Pte de St-Ouen
3	20	**Jean-Veber**	Pte de Bagnolet
9	13	**Jean-Vilar** (pl.)	Quai de la Gare
14	14	**Jean-Zay** Gaîté	
		Jeanne-Chauvin	
14	13	**Jeanne-d'Arc** (pl.)	Nationale
14	13	**Jeanne-d'Arc**	Nationale
15	15	**Jeanne-Hachette**	Vaugirard
12	12	**Jeanne-Jugan**	St-Mandé-Tour.
7	7	**Jemmapes** (quai de)	République, J.-Bonsergent, Colonel-Fabien, Jaurès
15	13	**Jenner**	Campo-Formio
4	15	**Jessaint** (de)	La Chapelle
8	11	**Jeu-de-Boules** (pass. du)	Oberkampf
7	2	**Jeûneurs** (des)	Sentier
9	1	**Joachim-du-Bellay** (pl.)	Châtelet-Les Halles
16	14	**Joanès** (pass.)	Plaisance
16	14	**Joanès**	Plaisance

plan	arr.	appellation	métro RER tramway
G 14	15	**Jobbé-Duval**	Convention
D 8	19	**Jocelyn** (villa)	Rue de la Pompe
H 11	7	**Joffre** (pl.)	École Militaire
Q 7	10	**Johann-Strauss** (pl.)	République
S 3	19	**Joinville** (imp. de)	Crimée
S 3	19	**Joinville** (pl.de)	Crimée
S 3	19	**Joinville** (de)	Crimée
L 13	14	**Jolivet**	Edgar-Quinet
T 9	11	**Joly** (cité)	Père-Lachaise
S 3	19	**Jomard**	Crimée
O 16	13	**Jonas**	Corvisart
E 14	15	**Jongkind**	Lourmel
J 15	14	**Jonquilles** (des)	Plaisance
K 16	13	**Jonquoy**	Plaisance
H 12	7	**José-Maria-de-Hérédia**	Ségur
F 9	16	**José-Marti** (pl.)	Trocadéro
N 6	9	**José-Rizal** (pl.)	Cadet
M 13	14	**Joseph-Bara**	Vavin
R 17	13	**Joseph-Bédier**	Pte d'Ivry
G 10	7	**Joseph-Bouvard** (av.)	Champ de Mars
W 15	12	**Joseph-Chailley**	Pte Dorée
M 4	18	**Joseph-de-Maistre**	Blanche, Guy-Môquet
O 2	18	**Joseph-Dijon**	Simplon
E 6	16	**Joseph-et-Marie-Hackin**	Pte Maillot
J 10	7	**Joseph-Granier**	École Militaire
T 14	12	**Joseph-Kessel**	Cour St-Emilion
T 3	19	**Joseph-Kosma**	Ourcq
G 12	15	**Joseph-Liouville**	Commerce
X 8	20	**Joseph-Python**	Pte de Bagnolet
K 6	8	**Joseph-Sansbœuf**	St-Lazare
F 9	16	**Joseph-Wresinski** (esplanade)	Trocadéro
M 2	18	**Joséphine**	Pte de Clignancourt
K 13	14	**Joséphine-Baker** (place)	Edgar-Quinet, Montparnasse-Bienvenüe
V 10	20	**Josseaume** (pass.)	Buzenval
S 11	11	**Josset** (pass.)	Ledru-Rollin
M 6	9	**Joubert**	Havre-Caumartin
U 10	11	**Joudrier** (imp.)	Alexandre-Dumas
N 7	9	**Jouffroy** (pass.)	Richelieu-Drouot
J 4	17	**Jouffroy-d'Abbans**	Wagram
O 9	1	**Jour** (porte du) "Forum des Halles"	Châtelet-Les Halles
	1	**Jour** (du)	Les Halles
N 8	20	**Jourdain** (du)	Jourdain
U 6	14	**Jourdain** (du)	Jourdain
N 18	14	**Jourdan** (bd)	Cité Universitaire, Pte d'Orléans
C 13	16	**Jouvenet**	Chardon-Lagache
C 13	16	**Jouvenet** (sq.)	Chardon-Lagache
P 10	4	**Jouy** (de)	St-Paul
T 7	20	**Jouye-Rouve**	Pyrénées
L 2	17	**Joyeux** (cité)	Pte de St-Ouen
G 11	15	**Juge**	Dupleix
F 11	15	**Juge** (villa)	Dupleix
O 8	4	**Juges-Consuls** (des)	Hôtel-de-Ville
U 8	11	**Juillet**	Gambetta
G 3	17	**Jules-Bourdais**	Pte de Champerret
P 14	14	**Jules-Breton**	St-Marcel
R 12	12	**Jules-César**	Bastille
M 13	6	**Jules-Chaplain**	Vavin
X 10	20	**Jules-Chéret** (sq.)	Pte de Montreuil
D 9	16	**Jules-Claretie**	La Muette
M 2	18	**Jules-Cloquet**	Pte de St-Ouen
Q 11	4	**Jules-Cousin**	Sully-Morland
V 7	20	**Jules-Dumien**	Pelleport
G 15	15	**Jules-Dupré**	Georges Brassens
R 8	11	**Jules-Ferry** (bd)	République
K 14	14	**Jules-Guesde**	Gaîté
M 17	14	**Jules-Hénaffe** (pl.)	Pte d'Orléans
S 14	13	**Jules-Isaac** (promenade)	Bibliothèque François Mitterrand

27

plan	arr.	appellation	métro RER tramway
D 9	16	Jules-Janin (av.) *La Muette*	
N 3	18	Jules-Joffrin (pl.) *Jules-Joffrin*	
N 3	18	Jules-Jouy *Lamarck-Caul.*	
U 5	19	Jules-Laforgue (villa) *Danube*	
L 5	9	Jules-Lefebvre *Liège*	
W 13	12	Jules-Lemaître *Pte de Vincennes*	
F 4	17	Jules-Renard (pl.) *Pte de Champerret*	
A 13	16	Jules-Rimet (pl.) *Pte de St-Cloud*	
S 7	19	Jules-Romains *Belleville*	
D 9	16	Jules-Sandeau (bd) *Av. H.-Martin*	
W 6	19	Jules-Sénard (pl.) *Pte des Lilas*	
W 8	20	Jules-Siegfried *Pte de Bagnolet*	
F 13	15	Jules-Simon *Félix-Faure*	
N 9	1	Jules-Supervielle (all.) *Les Halles*	
T 11	11	Jules-Vallès *Charonne*	
S 7	19	Jules-Verne *Belleville*	
H 16	14	Julia-Bartet *Pte de Vanves*	
T 7	17	Julien-Lacroix *Couronnes*	
O 14	13	Julienne *Les Gobelins*	
R 6	19	Juliette-Dodu *Colonel-Fabien*	
H 3	17	Juliette-Lamber *Wagram*	
M 4	18	Junot (av.) *Lamarck Caul.*	
P 14	13	Jura (du) *Campo-Formio*	
N 8	2	Jussienne (la) *Les Halles*	
P 12	5	Jussieu (pl.) *Jussieu*	
P 12	5	Jussieu *Jussieu*	
M 3	18	Juste-Métivier *Lamarck-Caul.*	
P 10	4	Justes-de-France (all. des) *Pont Marie, Saint Paul, Hôtel de Ville*	
W 7	20	Justice (de la) *St-Fargeau*	
M 10	6	Justin-Godart (pl.) *St-Germain-des-Prés*	

K

plan	arr.	appellation	métro RER tramway
R 4	19	Kabylie (de) *Stalingrad*	
S 10	11	Keller *Ledru-Rollin*	
P 17	13	Kellermann (bd) *Pte d'Italie, Cité Universitaire*	
G 7	16	Kepler *Kléber*	
P 17	13	Keufer *Pte d'Italie*	
F 10	15	Kyoto (pl. de) *Bir Hakeim*	
G 7	16	Kléber (av.) *Kléber, Boissière, Trocadéro*	
F 8	16	Kléber (imp.) *Boissière*	
N 6	9	Kossuth (pl.) *N.-D.-de-Lorette*	
O 2	17	Kracher (pass.) *Simplon*	
O 17	13	Küss *Maison-Blanche*	

L

plan	arr.	appellation	métro RER tramway
O 3	18	Labat *Marcadet-Pois.*	
J 6	8	La Baume (de) *Miromesnil*	
F 5	17	Labie *Pte Maillot*	
K 6	8	La Boétie *St-Augustin, Miromesnil, St-Philippe-du-R.*	
R 2	19	Labois-Rouillon *Crimée*	
H 10	7	La Bourdonnais (av. de) *École Militaire, Pont de l'Alma, École Militaire*	
G 9	7	La Bourdonnais (port de) *Pont de l'Alma*	
K 6	8	Laborde (de) *St-Augustin*	
H 16	15	Labrador (imp. du) *Brancion*	
J 14	15	Labrouste *Plaisance*	
M 5	9	La Bruyère *St-Georges*	
M 5	9	La Bruyère (sq.) *Trinité*	
T 8	20	Labyrinthe (cité du) *Ménilmontant*	
L 2	17	Lacaille *Guy-Môquet*	
M 16	14	Lacaze *Alésia*	
P 13	5	Lacépède *Place Monge*	
T 14	12	Lachambaudie (pl.) *Cour St-Emilion*	
U 4	19	La Champmeslé (sq.) *Ourcq*	
S 9	11	Lacharrière *St-Ambroise*	
O 18	13	Lachelier *Pte de Choisy*	
K 4	17	La Condamine *La Fourche, Rome*	
E 13	15	Lacordaire *Charles-Michels*	
F 15	15	Lacretelle *Pte de Versailles*	
L 3	17	Lacroix *Brochant*	
R 11	12	Lacuée *Bastille*	
O 6	9/10	La Fayette *Chaussée-d'Antin, Le Peletier, Cadet, Poissonnière, Gare du Nord, Louis-Blanc*	
N 5	15	Laferrière *St-Georges*	
N 8	1/2	La Feuillade *Bourse*	
N 6	9	Laffitte *Richelieu-Drouot, N.-D.-de-Lorette*	
D 11	16	La Fontaine (ham.) *Av. du Pdt-Kennedy*	
B 13	16	La Fontaine (rd-pt) *Michel-Ange-Molitor*	
D 11	16	La Fontaine (sq.) *Jasmin*	
J 14	15	La Fresnaye (villa) *Volontaires*	
B 13	16	La Frillière (av. de) *Exelmans*	
O 13	5	Lagarde *Censier-Daubenton*	
O 13	5	Lagarde (sq.) *Censier-Daubenton*	
P 3	18	Laghouat (de) *Château-Rouge*	
L 2	17	Lagille *Guy-Môquet*	
W 12	20	Lagny (pass. de) *Pte de Vincennes*	
W 12	20	Lagny (de) *Nation, Pte de Vincennes*	
O 11	5	Lagrange *Maubert-Mutualité*	
Q 15	13	Lahire *Nationale*	
K 2	17	La Jonquière (imp. de) *Pte de Clichy*	
L 2	17	La Jonquière (de) *Guy-Môquet, Pte de Clichy*	
G 13	15	Lakanal *Commerce*	
L 14	14	Lalande *Denfert-Roch.*	
N 5	9	Lallier *Anvers*	
R 4	19	Lally-Tollendal *Jaurès*	
E 6	16	Lalo *Pte Dauphine*	
K 4	17	Lamandé *Rome*	
M 3	18	Lamarck *Château-Rouge, Lamarck Caul., Guy-Môquet*	
M 3	18	Lamarck (sq.) *Lamarck-Caul.*	
N 6	9	Lamartine *Cadet*	
D 8	16	Lamartine (sq.) *Rue de la Pompe*	
E 10	16	Lamballe (av. de) *Av. du Pdt-Kennedy*	
O 3	18	Lambert *Château-Rouge*	
V 13	12	Lamblardie *Daumesnil*	
H 6	8	Lamennais *George-V*	
M 7	2	La Michodière *Quatre septembre*	
U 10	7	Lamier (imp.) *Ph.-Auguste*	
X 12	12	Lamoricière (av.) *Pte de Vincennes*	
H 10	7/15	La Motte-Picquet (av. de) *Latour-Maubourg, École Militaire, La Motte-Picquet*	
G 11	15	La Motte-Picquet (sq. de) *La Motte-Picquet*	
U 14	12	Lancette (de la) *Daumesnil*	
C 13	16	Lancret *Chardon-Lagache*	
Q 7	17	Lancry (de) *J.-Bonsergent*	
H 9	7	Landrieu (pass.) *Pte de l'Alma*	
F 14	15	Langeac (de) *Convention*	
O 12	5	Lanneau (de) *Maubert-Mutualité*	
D 7	16	Lannes (bd) *Av. Foch, Av. H.-Martin*	
L 2	17	Lantiez *Guy-Môquet*	
L 2	17	Lantiez (villa) *Guy-Môquet*	
V 5	19	Laonnais (sq. du) *Pré-St-Gervais*	
H 12	15	Laos (du) *Cambronne*	
G 7	16	La Pérouse *Kléber*	
N 3	18	Lapeyrère *Joffrin*	
O 12	5	Laplace *Maubert-Mutualité*	
L 11	7	La Planche (de) *Sèvres-Babylone*	
R 11	11	Lappe (de) *Bastille*	
H 14	15	La Quintinie *Vaugirard*	
D 10	1/4	La Reynie (de) *Châtelet*	
D 9	16	Largillière *La Muette*	
M 5	9	La Rochefoucauld (de) *St-Georges*	
L 11	7	La Rochefoucauld (sq. de) *Sèvres-Babylone*	
L 14	14	Larochelle *Gaîté*	
O 13	5	Laromiguière *Place Monge*	
P 13	5	Larrey *Place Monge*	

plan	arr.	appellation	métro RER tramway
K 5	8	Larribe	*Villiers*
1 0	7	Las-Cases	*Solférino*
1 8	1	La Sourdière (de)	*Tuileries*
13	12	Lasson	*Picpus*
T 6	19	Lassus	*Jourdain*
E 7	16	Lasteyrie (de)	*Victor-Hugo*
L 4	18	Lathuille (pass.)	*Pl. de Clichy*
N 5	9	La Tour-d'Auvergne (imp. de)	*Anvers*
N 5	9	La Tour-d'Auvergne	*Anvers*
10	7	La Tour-Maubourg (bd de)	*Latour-Maub.*
10	7	La Tour-Maubourg (sq. de)	*Latour-Maub.*
10	5	Latran (de)	*Maubert-Mutualité*
H 8	8	La Trémoille (de)	*Alma-Marceau*
F 4	17	Laugier	*Ternes, Pereire*
3 5	17	Laugier (villa)	*Pereire*
S 4	19	Laumière (av. de)	*Laumière*
J 8	20	Laurence-Savart	*Gambetta*
E 7	16	Laurent-Pichat	*Victor-Hugo*
F 7	16	Laure-Surville (av)	*Javel*
F 7	16	Lauriston	*Ch.-de-G.-Étoile, Boissière*
S 9	11	Lauzin	*Belleville*
10	11	La Vacquerie (de)	*Voltaire*
	1	Lavandières-Ste-Opportune (des)	*Châtelet*
N 4	18	La Vieuville	*Abbesses*
P 7	10	Lavoir (villa du)	*Strasbourg-St-Denis*
K 6	8	Lavoisier	*St-Augustin*
N 11	1	La Vrillière	*Bourse*
11	16	Léa Blain (imp.)	*Pte d'Auteuil*
M 3	14	Léandre (villa)	*Lamarck-Caul.*
4 3	13	Leblanc	*Balard*
F 5	17	Lebon	*Pte Maillot*
14	14	Lebouis	*Gaîté*
14	14	Lebouis (imp.)	*Gaîté*
J 4	17	Lebouteux	*Villiers*
17	14	Le Brix-et-Mesmin	*Pte d'Orléans*
13	14	Le Brun	*Les Gobelins*
V 8	20	Le Bua	*Pelleport*
L 4	17	Lechapelais	*La Fourche*
G 4	17	Le Châtelier	*Pereire*
S 9	11	Léchevin	*Parmentier*
V 9	20	Leclaire (cité)	*Pte de Bagnolet*
L 4	5	Leclerc	*St-Jacques*
K 3	17	Lécluse	*Pl. de Clichy*
13	16	Lecomte	*Brochant*
12	16	Lecomte-du-Noüy	*Exelmans*
12	16	Leconte-de-Lisle	*Égl. d'Auteuil*
12	16	Leconte-de-Lisle (villa)	*Égl. d'Auteuil*
	6/7	Le Corbusier (pl.)	*Sèvres-Babylone*
13	15	Lecourbe	*Sèvres-Lecourbe, Volontaires, Vaugirard, Boucicaut, Lourmel*
14	15	Lecourbe (villa)	*Boucicaut*
14	14	Lecuirot	*Alésia*
0 3	18	Lécuyer	*Château-Rouge*
16	13	Le Dantec	*Corvisart*
16	12	Ledion	*Didot*
11	11/12	Ledru-Rollin (av.)	*Q. de la Rapée, Ledru-Rollin, Voltaire*
16	15	Lefebvre (bd)	*Pte de Versailles, Pte de Vanves*
15	15	Lefebvre	*Pte de Versailles*
L 3	17	Legendre (pass.)	*Guy-Môquet*
17	17	Legendre	*Villiers, Rome, La Fourche, Guy-Môquet*
J 4	17	Léger (imp.)	*Malesherbes*
L 9	7	Légion-d'Honneur (de la)	*Solférino*
17	14	Légion-Étrangère (de la)	*Pte d'Orléans*
	5	Le Goff	*Luxembourg*
Q 7	10	Legouvé	*J.-Bonsergent*
S 6	15	Le Gramat (all.)	*Javel-A.-Citroën*
S 6	19	Legrand	*Colonel-Fabien*
12	12	Legraverend	*Gare de Lyon*
M 2	18	Leibniz	*Pte de St-Ouen*
M 2	18	Leibniz (sq.)	*Pte de St-Ouen*
D 10	16	Lekain	*La Muette*
N 17	14	Lemaignan	*Cité Universitaire*
W 6	19	Léman (du)	*Ptes des Lilas*
B 14	16	Le Marois	*Pte de St-Cloud*
L 4	17	Lemercier (cité)	*La Fourche*
L 4	17	Lemercier	*La Fourche, Brochant*
P 8	2	Lemoine (pass.)	*Strasbourg-St-Denis*
S 7	20	Lemon	*Belleville*
L 16	17	Leneveux	*Alésia*
F 9	16	Le Nôtre	*Passy*
O 5	17	Lentonnet	*Anvers*
F 8	16	Léo-Delibes	*Boissière*
O 14	13	Léo-Hamon (esplanade)	*Les Gobelins*
P 3	18	Léon	*Château-Rouge*
T 14	12	Léonard-Bernstein	*Bercy*
F 7	16	Léonard-de-Vinci	*Victor-Hugo*
S 10	11	Léon-Blum (pl.)	*Voltaire*
Q 18	13	Léon-Bollée (av.)	*Pte d'Italie, Pte de Choisy*
C 11	16	Léon-Bonnat	*Jasmin*
F 10	7	Léon-Bourgeois (all.)	*Champ de Mars*
G 8	16	Léonce-Reynaud	*Alma-Marceau*
N 8	2	Léon-Cladel	*Bourse*
H 5	17	Léon-Cogniet	*Courcelles*
J 4	17	Léon-Cosnard	*Malesherbes*
E 15	15	Léon-Delagrange	*Pte de Versailles*
G 14	14	Léon-Delhomme	*Vaugirard*
B 14	16	Léon-Deubel (pl.)	*Pte de St-Cloud*
G 16	13	Léon-Dierx	*Brancion*
K 5	17	Léon-Droux	*Rome*
X 6	14	Léone (villa)	*Plaisance*
X 6	20	Léon-Frapié	*St-Fargeau*
T 11	11	Léon-Frot	*Charonne*
X 11	20	Léon-Gaumont (av.)	*Pte de Montreuil*
T 4	19	Léon-Giraud	*Ourcq*
G 15	15	Léon-Guillot (sq.)	*Convention*
K 12	16	Léon-Heuzey (av.)	*Mirabeau*
K 15	14	Léonidas	*Alésia*
H 5	17	Léon-Jost	*Courcelles*
Q 7	10	Léon-Jouhaux	*République*
G 13	15	Léon-Lhermitte	*Commerce*
N 15	14	Léon-Maurice-Nordmann	*Glacière*
K 12	6/7/15	Léon-Paul-Fargue (pl.)	*Duroc*
G 13	15	Léon-Séché	*Vaugirard*
E 13	15	Léontine (av)	*Javel*
J 12	7	Léon-Vaudoyer	*Ségur*
O 8	2	Léopold-Bellan	*Sentier*
C 11	16	Léopold-II (av.)	*Jasmin*
M 13	14	Léopold-Robert	*Vavin*
R 5	19	Lepage (cité)	*Jaurès*
N 6	9	Le Peletier	*Richelieu-Drouot*
M 4	18	Lepic (pass.)	*Blanche*
M 4	18	Lepic	*Blanche*
R 16	13	Leredde	*Bibliothèque François Mitterrand*
P 11	4	Le Regrattier	*Pont-Marie*
G 14	15	Leriche	*Convention*
G 11	15	Leroi-Gourhan	*Dupleix*
F 7	16	Leroux	*Victor-Hugo*
U 7	20	Leroy (cité)	*Jourdain*
C 11	16	Leroy-Beaulieu (sq.)	*Jasmin*
V 13	12	Leroy-Dupré	*Bel-Air*
S 7	20	Lesage (cour)	*Belleville*
T 7	20	Lesage	*Belleville*
O 9	1	Lescot (porte) "Forum des Halles"	*Châtelet-Les Halles*
Q 11	4	Lesdiguières (de)	*Bastille*
K 12	6	Le Sevrien (gal.)	*Vaneau*
U 10	20	Lespagnol	*Ph.-Auguste*

plan	arr.	appellation	métro RER tramway
V 9	20	Lesseps (de) A.-Dumas	
F 6	16	Le Sueur Argentine	
F 9	9	Le Tasse Trocadéro	
G 12	15	Letellier Emile-Zola	
G 12	15	Letellier (villa) Emile-Zola	
N 2	18	Letort (imp.) Simplon	
N 2	18	Letort Clignancourt	
V 9	20	Leuck-Mathieu Gambetta	
U 15	12	Levant (cour du) Cour St-Emilion	
W 8	20	Le Vau Pte de Bagnolet	
M 13	6	Le Verrier Vavin	
U 6	20	Levert Jourdain	
K 5	17	Lévis (imp. de) Villiers	
J 4	17	Lévis (pl. de) Villiers	
J 5	17	Lévis (de) Villiers, Malesherbes	
T 15	12	Lheureux Cour St-Emilion	
S 11	11	Lhomme (pass.) Ledru-Rollin	
O 13	5	Lhomond Censier-Daub., Monge	
G 14	13	Lhuillier Convention	
L 15	14	Liancourt Denfert-Roch.	
N 17	14	Liard Cité Universitaire	
T 8	20	Liban (du) Ménilmontant	
U 5	19	Liberté (de la) Danube	
T 15	12	Libourne (du) Cour St-Emilion	
H 7	16	Lille (arcades du) George-V	
R 15	13	Liégat (cour du) Bibliothèque François Mitterrand	
L 5	8/9	Liège (de) Liège	
W 13	12	Lieutenance (sentier de la) Pte de Vincennes	
W 8	20	Lieutenant-Chauré (du) Pelleport	
N 1	18	Lieutenant-Colonel-Dax Clignancourt	
A 14	16	Lieutenant-Colonel-Deport (du) Pte de St-Cloud	
N 8	1	Lieutenant-Henri-Karcher (pl. du) Louvre-Rivoli	
J 16	14	Lieutenant-Lapeyre (du) Pte de Vanves	
K 15	14	Lieutenant-Stéphane-Piobetta (pl. du) Plaisance	
H 15	15	Lieuvin (du) Brancion	
V 10	20	Ligner A.-Dumas	
U 5	19	Lilas (des) Pl. des Fêtes	
U 5	19	Lilas (villa des) Pl. des Fêtes	
L 5	9	Lili-Boulanger (pl.) Pl. de Clichy	
M 10	7	Lille (de) Rue du Bac, Assemblée Nationale	
S 17	13	Limagne (sq. de la) Pte d'Ivry	
S 17	13	Limousin (sq. du) Pte d'Ivry	
H 7	16	Lincoln George-V	
O 9	1	Lingères (pass. des) Châtelet-Les Halles	
O 9	1	Lingerie (de la) Les Halles	
P 12	5	Linné Jussieu	
N 5	9	Lino-Ventura (pl.) Pigalle	
E 12	15	Linois Charles-Michels	
Q 11	4	Lions-St-Paul (des) Sully-Morland	
X 12	20	Lippmann Pte de Vincennes	
S 10	11	Lisa (pass.) Voltaire	
K 6	17	Lisbonne (de) Villiers, Courcelles	
O 17	13	Liserons (des) Cité Universitaire	
V 9	20	Lisfranc Gambetta	
L 12	6	Littré Montparnasse-B.	
O 4	18	Livingstone Anvers	
P 10	4	Lobau (du) Hôtel-de-Ville	
M 11	6	Lobineau Mabillon	
J 5	17	Logelbach (de) Monceau	
V 10	20	Loi (imp. de la) Buzenval	
L 16	14	Loing (du) Alésia	
S 4	19	Loire (de la) Jaurès, Laumière	
S 16	13	Loiret (du) Bibliothèque François Mitterrand	
O 9	1/4	Lombards (des) Châtelet	
L 6		Londres (cité de) Trinité	
L 6	8/9	Londres (de) Trinité, Europe	
F 8	16	Longchamp (de) Iéna, Trocadéro	
F 8	16	Longchamp (villa de) Trocadéro	
O 17	13	Longues-Raies (des) Cité Universitaire	
G 7	8	Lord-Byron George-V	
T 4	19	Lorraine (du) Ourcq	
U 5	19	Lorraine (villa du) Danube	
S 1	19	Lot (quai du) Pte de la Villette	
D 8	17	Lota (de) Pte Dauphine	
N 9	1	Louis-Aragon (all.) Les Halles	
R 12	12	Louis-Armand (cour) Gare de Lyon	
E 15	15	Louis-Armand Balard	
Q 14	13	Louis-Armstrong (pl.) Campo-Formio	
C 8	16	Louis-Barthou (av.) Av. H.-Martin	
H 3	17	Louis-Bernier (pl.) Pte de Clichy	
R 5	10	Louis-Blanc Colonel-Fabien, Louis-Blanc, La Chapelle	
D 11	16	Louis-Blériot (q.) Mirabeau	
C 9	16	Louis-Boilly La Muette	
S 7	11	Louis-Bonnet Belleville	
V 13	12	Louis-Braille Bel-Air	
J 10	7	Louis-Codet École Militaire	
E 9	16	Louis-David Passy	
X 12	20	Louis-Delaporte Pte de Vincennes	
T 8	20	Louis-Delgrès Ménilmontant	
M 16	14	Louise-et-Tony (sq.) Alésia	
S 6	19	Louise-Labé (all.) Belleville	
U 6	19	Louise-Thuliez Place des Fêtes	
R 15	13	Louise-Weiss Chevaleret	
W 9	20	Louis-Ganne Pte de Bagnolet	
W 15	12	Louis-Gentil (sq.) Pte Dorée	
Q 3	18	Louisiane (de la) Marx-Dormoy	
M 7	2	Louis-le-Grand Opéra	
O 10	4	Louis-Lépine (pl.) Cité	
L 1	17	Louis-Loucheur Pte de St-Ouen	
W 10	20	Louis-Lumière Pte de Bagnolet	
N 13	5	Louis-Marin (pl.) Luxembourg	
K 16	14	Louis-Morard Alésia	
J 6	8	Louis-Murat Courcelles	
T 8	20	Louis-Nicolas-Clérambault Père-Lachaise	
M 1	18	Louis-Pasteur-Valléry-Radot Pte de St-Ouen	
O 18	13	Louis-Pergaud Cité Universitaire	
R 10	11	Louis-Philippe (pass.) Bastille	
P 11	4	Louis-Philippe (pt) Pont-Marie	
U 7	20	Louis-Robert (imp.) Jourdain	
N 13	5	Louis-Thuillier Luxembourg	
G 16	13	Louis-Vicat Brancion	
F 3	17	Louis-Vierne Louise-Michel	
G 4	17	Loulou-Gasté (pl.) Pereire	
N 15	14	Lourcine (villa de) St-Jacques	
F 11	15	Lourmel (de) Dupleix, Charles-Michels, Boucicaut, Lourmel	
L 15	14	Louvat (villa) Denfert-Roch.	
L 15	14	Louvat (imp.) Denfert-Roch.	
M 8	2	Louvois (de) Quatre septembre	
N 9	1	Louvre (pl. du) Louvre	
O 9	1	Louvre (porte du) "Forum des Halles" Châtelet-Les Halles	
M 9	1	Louvre (pont du) Palais-Royal	
N 10	1	Louvre (q. du) Pont-Neuf	
N 8	1/2	Louvre (du) Louvre	
J 11	7/15	Lowendal (av. de) École Militaire, Cambronne	
H 12	15	Lowendal (sq.) Cambronne	
G 8	16	Lübeck (de) Iéna	
D 14	15	Lucien-Bossoutrot Balard	
M 18	14	Lucien-Descaves (av.) Cité Universitaire	
W 12	20	Lucien-et-Sacha-Guitry Pte de Vincennes	
N 3	18	Lucien-Gaulard Lamarck-Caul.	
O 13	5	Lucien-Herr (pl.) Censier-Daubenton	

plan	arr.	appellation	métro RER tramway
	20	Lucien-Lambeau	Pte de Montreuil
9	20	Lucien-Leuwen	Pte de Bagnolet
6	10	Lucien-Sampaix	J.-Bonsergent
	2	Lulli	Quatre septembre
*6	3	Lunain (du)	Alésia
4	7	Lune (de la)	Bonne-Nouvelle
7	19	Lunéville (de)	Ourcq
0	4	Lutèce (de)	Cité
0	7	Luynes (de)	Rue du Bac
7	7	Luynes (sq. de)	Rue du Bac
9	20	Lyanes (des)	Pte de Bagnolet
8	20	Lyanes (villa des)	Pte de Bagnolet
0	12	Lyautey	Passy
2	12	Lyon (de)	Gare de Lyon, Bastille
4	5	Lyonnais (des)	Censier-Daubenton

M

plan	arr.	appellation	métro RER tramway
11	6	Mabillon	Mabillon
2	19	Macdonald (bd)	Pte de la Villette
6	17	Mac-Mahon (av.)	Ch.-de-G.-Étoile
5	13	Maconnais (des)	Cour St-Emilion
14	12	Madagascar (de)	Pte de Charenton
11	6	Madame	St-Sulpice
	1/8/9	Madeleine (bd de la)	Madeleine
7	8	Madeleine (gal. de la)	Madeleine
7	8	Madeleine (marché de la)	Madeleine
7	8	Madeleine (pass. de la)	Madeleine
7	8	Madeleine (pl. de la)	Madeleine
7	20	Madeleine-Marzin	Pte de Montreuil
14	15	Madeleine-Renaud-et-Jean-Louis-Barrault (pl.)	Montparnasse-B.
13	15	Mademoiselle	Commerce, Vaugirard
3	18	Madone (de la)	Marx-Dormoy
3	8	Madrid (de)	Europe
3	17	Magasins-de-l'Opéra-Comique (pl. des)	Pte de Champerret, Porte de Clichy
8	16	Magdebourg (de)	Trocadéro
7	8	Magellan	George-V
5	17	Magendie	Glacière
	9/10	Magenta (bd de)	République, J.-Bonsergent, Gare de l'Est, Gare du Nord, Barbès-Roch.
7	10	Magenta (cité de)	J.-Bonsergent
11	19	Magenta	Pte de la Villette
8	20	Maigrot-Delaunay (pass.)	Buzenval
8	2	Mail (du)	Sentier
11	11	Maillard	Voltaire
11	11	Main-d'Or (pass. de la)	Ledru-Rollin
11	11	Main-d'Or (de la)	Ledru-Rollin
15	14/15	Maine (av. du)	Montparnasse, Gaîté, Mouton-Duvernet, Alésia
13	14	Maine (du)	Edgar-Quinet
2	6	Maintenon (al.)	Montparnasse-B.
*8	3	Maire (au)	Arts-et-Métiers
4	18	Mairie (cité de la)	Abbesses
16	13	Maison-Blanche (de la)	Tolbiac
11	11	Maison-Brûlée (cour de la)	Ledru-Rollin
14	14	Maison-Dieu	Gaîté
6	11	Maître-Albert	Maubert-Mutualité
6	16	Malakoff (av. de)	Pte Maillot
6	16	Malakoff (imp. de)	Pte Maillot
8	16	Malakoff (de)	Trocadéro
6	6	Malaquais (q.)	St-Germain-des-P.
9	7	Malar	Pt de l'Alma
15	15	Malassis	Convention
2	12	Malebranche	Luxembourg
K 7	8/17	Malesherbes (bd)	Madeleine, St-Augustin, Villiers, Malesherbes, Wagram
5	9	Malesherbes (cité)	Pigalle
J 4	17	Malesherbes (villa)	Malesherbes
J 6	8	Maleville	Villiers

plan	arr.	appellation	métro RER tramway
Q 10	4	Malher	St-Paul
B 11	16	Malherbe (sq.)	Pte d'Auteuil
J 16	14	Mallebay (villa)	Plaisance
C 10	16	Mallet-Stevens	Jasmin
Q 17	13	Malmaisons (des)	Maison-Blanche
R 8	4	Malte (de)	République
V 8	20	Malte-Brun	Gambetta
P 13	5	Malus	Place Monge
O 8	2	Mandar	Sentier
S 5	19	Manin	Bolivar, Laumière, Danube
U 4	19	Manin (villa)	Danube
M 5	9	Mansart	Blanche
N 5	16	Manuel	N.-D.-de-Lorette
G 8	16	Manutention (de la)	Iéna
W 6	20	Maquis-du-Vercors (pl.)	Pte des Lilas
W 12	20	Maraîchers (des)	Pte de Vincennes, Maraîchers
Q 7	11	Marais (pass. des)	J.-Bonsergent
E 6	16	Marbeau (bd)	Pte Dauphine
E 6	16	Marbeau	Pte Dauphine
H 7	8	Marbeuf	F.-D.-Roosevelt
N 3	18	Marcadet	Marcadet-Pois., Jules-Joffrin, Lamarck Caul., Guy-Môquet
S 16	13	Marc-Antoine-Charpentier	Bibliothèque François Mitterrand
V 10	20	Marc-Bloch (pl.)	Maraîchers
Q 18	13	Marc-Chagall (all.)	Pte d'Italie
8/16	13	Marceau (av.)	Alma-Marceau, Ch.-de-Gaulle-Étoile
U 5	19	Marceau (villa)	Danube
S 6	19	Marcel-Achard (pl.)	Belleville
N 4	18	Marcel-Aymé (pl.)	Lamarck-Caul.
F 11	15	Marcel-Cerdan (pl.)	Dupleix
B 14	16	Marcel-Doret (av.)	Pte de St-Cloud
W 15	12	Marcel-Dubois	Pte Dorée
R 16	13	Marcel-Duchamp	Olympiades
R 9	11	Marcel-Gromaire	St-Sébastien-Froissart
O 17	19	Marcel-Jambenoire (all.)	Cité Universitaire
R 4	19	Marcel-Landowski (pass.)	Riquet
S 6	19	Marcel-Lods (villa)	Belleville
H 2	17	Marcel-Paul	Pte de Clichy
K 15	14	Marcel-Paul (pl.)	Pernety
E 10	16	Marcel-Proust (av.)	Passy
T 9	11	Marcel-Rajman (sq.)	Philippe-Auguste
F 5	17	Marcel-Renault	Ternes
M 1	15	Marcel-Sembat	Pte de Clignancourt
G 14	15	Marcel-Toussaint (sq.)	Convention
O 11	5	Marcelin-Berthelot	Maubert-Mutualité
S 10	11	Marcès (villa)	St-Ambroise
V 4	19	Marchais (des)	Danube
P 7	10	Marché (pass. du)	Château-d'Eau
P 14	14	Marché-aux-Chevaux (imp. du)	St-Marcel
P 10	4	Marché-des-Blancs-Manteaux (du)	St-Paul
O 13	5	Marché-des-Patriarches (du)	Censier-Daubenton
O 11	4	Marché-Neuf (q. du)	Cité
M 2	18	Marché-Ordener (du)	Guy-Môquet
R 8	11	Marché-Popincourt (du)	Parmentier
Q 10	4	Marché-Ste-Catherine (du)	St-Paul
S 12	12	Marché-St-Antoine (cour d')	Ledru-Rollin, Gare de Lyon
M 8	1	Marché-St-Honoré (pl. du)	Pyramides
M 8	1	Marché-St-Honoré (du)	Pyramides
J 16	14	Marc-Sangnier (av.)	Pte de Vanves
Q 3	18	Marc-Séguin	Marx-Dormoy
U 7	20	Mare (imp. de la)	Ménilmontant
U 7	20	Mare (de la)	Ménilmontant
D 7	16	Maréchal-de-Lattre-de-Tassigny (pl. du)	Pte Dauphine

plan	arr.	appellation	*métro RER tramway*
D 7	16	Maréchal-Fayolle (av. du)	*Pte Dauphine*
B 10	16	Maréchal-Franchet-d'Esperey (av. du)	*Ranelagh*
J 9	7	Maréchal-Gallieni (av. du)	*Invalides*
G 10	8	Maréchal-Harispe (du)	*Pt de l'Alma*
G 4	17	Maréchal-Juin (pl. du)	*Pereire*
B 11	16	Maréchal-Lyautey (av. du)	*Pte d'Auteuil*
C 9	16	Maréchal-Maunoury (av. du)	*La Muette*
N 9		Marengo (de)	*Louvre*
L 16	14	Marguerin	*Alésia*
E 13	1	Marguerite-de-Navarre (pl.)	*Châtelet-Les Halles*
O 9		Marguerite-Boucicaut	*Boucicaut*
S 16	13	Marguerite-Duras	*Bibliothèque François Mitterrand*
H 3	17	Marguerite-Long	*Pte de Champerret, Pte de Clichy*
G 11	15	Marguerite-Yourcenar	*Dupleix*
H 5	17	Marguerites	*Courcelles*
W 13	12	Marguettes (des)	*Pte de Vincennes*
E 9	16	Maria-Callas (all.)	*Trocadéro, R. de la Pompe*
G 8	16	Maria-Callas (pl.)	*Alma-Marceau*
L 2	17	Maria-Deraismes	*Guy-Môquet*
K 2	17	Marie (cité)	*Pte de Clichy*
P 11	4	Marie (pont)	*Pont-Marie*
S 16	13	Marie-Andrée Lagroua-Weill-Hallé	*Bibliothèque François Mitterrand*
U 12	12	Marie-Benoist	*Nation*
M 4	18	Marie-Blanche (imp.)	*Blanche*
L 16	14	Marie-Davy	*Alésia*
W 10	20	Marie-de-Miribel (pl.)	*Pte de Montreuil*
E 10	16	Marie-de-Régnier (imp.)	*Passy*
Q 7	10	Marie-et-Louise	*Goncourt*
U 11	11	Marie-José-Nicoli (pl.)	*Rue des Boulets*
W 13	12	Marie-Laurencin	*Bel-Air*
V 11	20	Marie-Laurent (all.)	*Buzenval*
S 16	13	Marie-Louise-Dubreil-Jacotin	*Bibliothèque François Mitterrand*
G 11	15	Marie-Madeleine-Fourcade (pl.)	*Dupleix*
M 11	6	Marie-Pape-Carpentier	*St-Sulpice*
M 16	14	Marie-Rose	*Alésia*
O 8	2	Marie-Stuart	*Etienne-Marcel*
K 13	14	Marie-Vassilieff (villa)	*Montparnasse-B.*
D 10	16	Marietta-Martin	*La Muette*
H 7	8	Marignan (pass. de)	*F-D-Roosevelt*
H 7	8	Marignan (de)	*F-D-Roosevelt*
K 7	8	Marigny (av. de)	*Ch.-Élysées-C.*
J 16	14	Mariniers (des)	*Didot*
H 10	7	Marinoni	*École Militaire*
H 12	15	Marion-Nikis	*Ségur*
K 4	17	Mariotte	*Rome*
W 6	19	Marius-Barroux (all.)	*Pte des Lilas*
M 7	2	Marivaux (de)	*Richelieu-Drouot*
F 8	16	Marlène-Dietrich (pl.)	*Iéna*
G 14	13	Marmontel	*Convention*
O 14	13	Marmousets (des)	*Les Gobelins*
T 3	19	Marne (q. de la)	*Crimée*
T 3	19	Marne (de la)	*Ourcq*
R 4	19	Maroc (imp.)	*Stalingrad*
R 4	19	Maroc (pl. du)	*Stalingrad*
R 4	19	Maroc (du)	*Stalingrad*
T 8	20	Maronites (des)	*Ménilmontant*
G 3	17	Marquis-d'Arlandes (du)	*Pte de Champerret*
D 10	16	Marronniers (des)	*Av. du Pdt-Kennedy*
V 4	19	Marseillaise (de la)	*Pte de Pantin*
Q 7	10	Marseille (de)	*J.-Bonsergent*
M 8	2	Marsollier	*Quatre septembre*
V 12	12	Marsoulan	*Picpus*
Q 1	18	Marteau (imp.)	*Pte de la Chapelle*
P 6	10	Martel	*Château-d'Eau*
K 10	7	Martignac (cité)	*Varenne*
K 10	7	Martignac (de)	*Varenne*
O 16	20	Martin-Bernard	*Corvisart*
W 8	20	Martin-Garat	*Pte de Bagnolet*
P 7	10	Martini (imp.)	*Strasbourg-St-Denis*
Q 3	18	Martinique (de la)	*Marx-Dormoy*
U 8	20	Martin-Nadaud (pl.)	*Gambetta*
L 2	17	Marty (imp.)	*Pte de St-Ouen*
N 5	9/18	Martyrs (des)	*N.-D.-Lorette, Pigalle*
D 15	13	Martyrs de la Résistance de la Porte de Sèvres (pl. des)	*Balard*
F 10	15	Martyrs-Juifs-du-Vélodrome-d'Hiver (pl. des)	*Bir-Hakeim*
P 4	18	Marx-Dormoy	*La Chapelle, Marx-Dormoy*
S 17	13	Maryse-Bastié	*Pte d'Ivry*
X 11	20	Maryse-Hilsz	*Pte de Montreuil*
D 9	16	Maspéro	*La Muette*
R 17	15	Masséna (bd)	*, Pte d'Ivry, Pte de Choisy, Pte d'Italie*
R 17	13	Masséna (sq.)	*Pte d'Ivry*
E 10	16	Massenet	*La Muette*
V 12	7	Masseran	*Duroc*
V 15	12	Massif-Central (sq. du)	*Pte de Charenton*
O 11	4	Massillon	*Cité*
J 13	15	Mathieu (imp.)	*Pasteur*
S 3	19	Mathis	*Crimée*
S 5	19	Mathurin-Moreau (av.)	*Colonel-Fabien, Bolivar*
J 14	15	Mathurin-Régnier	*Volontaires*
L 7	8/9	Mathurins (des)	*Havre-C., St-Augustin*
J 7	8	Matignon (av. de)	*F.-D.-Roosevelt*
O 11	5	Maubert (imp.)	*Maubert-Mutualité*
O 11	5	Maubert (de)	*Maubert-Mutualité*
O 5	9/10	Maubeuge (de)	*Cadet, Poissonnière, Gare du Nord*
O 5	9	Maubeuge (sq. de)	*Poissonnière*
G 13	15	Maublanc	*Vaugirard*
O 8	1	Mauconseil	*Etienne-Marcel*
P 9	3	Maure (pass. du)	*Rambuteau*
Q 13	13	Maurel (pass.)	*Austerlitz*
O 12	5	Maurice-Audin (pl.)	*Cardinal-Lemoine*
L 8	1	Maurice-Barrès (pl.)	*Madeleine*
G 10	7	Maurice-Baumont (all.)	*Champ de Mars*
W 8	20	Maurice-Berteaux	*Pte de Bagnolet*
J 16	14	Maurice-Bouchor	*Pte de Vanves*
E 11	16	Maurice-Bourdet	*Av. du Pdt-Kennedy*
O 11	4	Maurice-Carême (promenade)	*St-Michel-Notre-Dame, Cité*
T 8	20	Maurice-Chevalier (pl.)	*Ménilmontant*
J 12	12	Maurice-de-Fontenay (pl.)	*Montgallet*
J 12	7	Maurice-de-la-Sizeranne	*Duroc*
S 12	12	Maurice-Denis	*Gare de Lyon*
J 17	14	Maurice-d'Ocagne (av.)	*Pte de Vanves*
R 15	15	Maurice-et-Louis-de-Broglie	*Chevaleret*
Q 2	18	Maurice-Genevoix	*Marx-Dormoy*
M 16	14	Maurice-Lœwy	*Alésia*
J 14	15	Maurice-Maignen	*Volontaires*
J 16	14	Maurice-Noguès	*Pte de Vanves*
O 9	1	Maurice-Quentin (pl.)	*Les Halles*
X 13	12	Maurice-Ravel (av.)	*Pte de Vincennes*
L 15	14	Maurice-Ripoche	*Pernety*
U 5	19	Maurice-Rollinat (villa)	*Danube*
J 15	14	Maurice-Rouvier	*Plaisance*
N 4	18	Maurice-Utrillo	*Château-Rouge*
P 10	4	Mauvais-Garçons (des)	*Hôtel-de-Ville*
W 10	20	Mauves (all. des)	*Pte de Montreuil*
W 6	19	Mauxins (pass. des)	*Pte des Lilas*

plan	arr.	appellation — *métro RER tramway*
T 8	20	**Max-Ernst** *Ménilmontant*
13	15	**Max-Guedj** (esplanade) *Balard, Lourmel*
13	15	**Max-Hymans** (sq.) *Montparnasse-B.*
13	13	**Max-Jacob** *Pte d'Italie*
G 3	17	**Mayenne** (sq. de la) *Pte de Champerret*
12	6	**Mayet** *Duroc*
6	9	**Mayran** *Cadet*
13	13	**Mazagran** (av. de) *Cité Universitaire*
7	10	**Mazagran** (de) *Strasbourg-St-Denis*
8	6	**Mazarine** *Odéon*
10	12	**Mazas** (pl.) *Quai de la Rapée*
12	20	**Mazas** (voie) *Quai de la Rapée*
14	19	**Meaux** (de) *Colonel-Fabien, Bolivar, Laumière*
14	5	**Méchain** *St-Jacques*
12	17	**Médéric** *Courcelles*
12	6	**Médicis** (de) *Luxembourg*
11	1	**Mégisserie** (q. de la) *Pont-Neuf*
11	16	**Mehdi-Ben-Barka** (pl.) *St-Germain-des-P.*
18	2	**Méhul** *Pyramides*
13	15	**Meilhac** *Émile-Zola*
7	17	**Meissonier** *Wagram*
6	19	**Mélingue** *Pyrénées*
5	19	**Melun** (de) *Laumière*
7	2	**Ménars** *Quatre septembre*
8	20	**Mendelssohn** *Pte de Montreuil*
9	3	**Ménétriers** (pass. des) *Rambuteau*
9	11/20	**Ménilmontant** (bd de) *Philippe-Auguste, Père-Lachaise, Ménilmontant*
T 8	20	**Ménilmontant** (pass. de) *Ménilmontant*
8	20	**Ménilmontant** (pl. de) *Ménilmontant*
T 7	20	**Ménilmontant** (de) *Ménilmontant, Gambetta, Pelleport*
10	11	**Mercœur** *Voltaire*
16	14	**Méridienne** (villa) *Pte d'Orléans*
8	16	**Mérimée** *Victor-Hugo*
12	12	**Merisiers** (sentier des) *Pte de Vincennes*
9	11	**Merlin** *Père-Lachaise*
2	16	**Méryon** *Michel-A-Molitor*
8	8	**Meslay** (pass.) *République*
8	3	**Meslay** *République, Strasbourg-St-Denis*
8	16	**Mesnil** *Victor-Hugo*
6	10	**Messageries** (des) *Poissonnière*
2	12	**Messidor** *Bel-Air*
14	14	**Messier** *St-Jacques*
6	8	**Messine** (av. de) *Miromesnil*
6	8	**Messine** (de) *Miromesnil*
8	20	**Métairie** (cour de la) *Pyrénées*
3	19	**Metz** (q. de) *Ourcq*
7	10	**Metz** (de) *Strasbourg-St-Denis*
3	12	**Meuniers** (des) *Pte de Charenton*
8	19	**Meurthe** (de la) *Ourcq*
6	16	**Mexico** (pl. de) *Trocadéro*
7	9	**Meyerbeer** *Opéra*
4	19	**Meynadier** *Laumière*
1	6	**Mézières** (de) *St-Sulpice*
16	16	**Michal** *Corvisart*
13	16	**Michel-Ange** (ham.) *Exelmans*
16	16	**Michel-Ange** *Michel-A.-Auteuil, Michel-A-Molitor, Exelmans, Pte de St-Cloud*
12	16	**Michel-Ange** (villa) *Michel-A-Auteuil*
15	18	**Michel-Audiard** (pl.) *Mouton-Duvernet*
13	13	**Michel-Bréal** *Pte d'Ivry*
12	12	**Michel-Chasles** *Gare de Lyon*
10	20	**Michel-de-Bourges** *Buzenval*
8	6	**Michel-Debré** (pl.) *St-Sulpice*
13	6	**Michelet** *Port-Royal*
9	3	**Michel-le-Comte** *Rambuteau*
4	13	**Michel-Peter** *Les Gobelins*
N 2	18	**Michel-Petrucciani** (place) *Jules Joffrin, Simplon*
S 6	19	**Michel-Tagrine** *Colonel-Fabien*
M 4	19	**Midi** (cité du) *Pigalle*
D 9	16	**Mignard** *Rue de la Pompe*
C 12	9	**Mignet** *Égl.-d'Auteuil*
N 11	19	**Mignon** (sq.) *Trocadéro*
E 9	16	**Mignot** (sq.) *Trocadéro*
U 5	19	**Mignottes** (des) *Botzaris*
U 5	19	**Miguel-Hidalgo** *Danube*
L 5	16	**Milan** (de) *Liège*
D 11	16	**Milleret-de-Brou** (av.) *Jasmin*
F 5	17	**Milne-Edwards** *Pereire*
L 2	18	**Milord** (imp.) *Pte de St-Ouen*
N 5	9	**Milton** *N.-D.-de-Lorette*
O 17	13	**Mimosas** (sq. des) *Cité Universitaire*
T 15	12	**Minervois** (cour du) *Cour St-Emilion*
Q 10	3	**Minimes** (des) *Chemin-Vert*
H 12	15	**Miollis** *Cambronne*
D 12	15/16	**Mirabeau** (pont) *Javel*
C 12	16	**Mirabeau** *Mirabeau, Chardon-Lagache*
O 13	13	**Mirbel** (de) *Censier-Daubenton*
N 4	18	**Mire** (de la) *Abbesses*
T 11	15	**Mireille-Havet** (pl.) *Faidherbe-Chal.*
K 7	8	**Miromesnil** (de) *Miromesnil, Villiers*
C 11	16	**Mission-Marchand** (de la) *Michel-A.-Auteuil*
J 13	15	**Mizon** *Pasteur*
T 4	19	**Moderne** (av.) *Laumière*
L 15	14	**Moderne** (villa) *Alésia*
E 14	15	**Modigliani** *Balard*
K 14	15	**Modigliani** (terr.) *Montparnasse-B.*
M 6	8	**Mogador** (de) *Trinité*
P 11	5	**Mohammed V** (place) *Jussieu*
K 3	17	**Moines** (des) *Brochant*
B 13	19	**Molière** (av.) *Michel-A-Molitor*
O 9	3	**Molière** (pass.) *Rambuteau*
M 8	1	**Molière** *Pyramides*
Q 3	17	**Molin** (imp.) *Marx-Dormoy*
C 12	16	**Molitor** *Chardon-Lagache, Michel-A-Molitor*
C 12	16	**Molitor** (villa) *Chardon-Lagache*
J 6	8	**Mollien** *Villiers*
J 4	17	**Monbel** (de) *Wagram*
K 5	8	**Monceau** (de) *Courcelles, Villiers*
K 5	8	**Monceau** (sq.) *Villiers*
G 5	17	**Monceau** (villa) *Pereire*
L 3	17	**Moncey** (pass.) *La Fourche*
M 5	9	**Moncey** *Liège*
M 5	9	**Moncey** (sq.) *Liège*
O 9	2	**Mondétour** *Étienne-Marcel*
W 8	20	**Mondonville** *Pte de Bagnolet*
L 8	1	**Mondovi** (de) *Concorde*
O 13	5	**Monge** (pl.) *Place Monge*
O 12	5	**Monge** *Maubert-Mutualité, Cardinal-Lemoine, Monge, Censier-Daubenton*
X 13	12	**Mongenot** *Pte de Vincennes*
R 6	19	**Monjol** *Colonel-Fabien*
N 9	9	**Monnaie** (de la) *Pont-Neuf*
T 8	20	**Monplaisir** (pass.) *Ménilmontant*
H 4	18	**Monseigneur-Loutil** (pl.) *Wagram*
Q 6	10	**Monseigneur-Rodhain** *Gare de l'Est*
K 11	7	**Monsieur** *St-François-Xavier*
N 12	6	**Monsieur-le-Prince** *Odéon, Luxembourg*
M 7	2	**Monsigny** *Quatre septembre*
A 4	20	**Monsoreau** (sq. de) *A.-Dumas*
E 13	15	**Montagne-d'Aulas** (de la) *Balard*
D 14	15	**Montagne-de-la-Fage** (de la) *Balard*
D 13	15	**Montagne-de-l'Espérou** (de la) *Balard*
D 12	15	**Montagne-du-Goulet** (pl. de la) *Javel*

plan	arr.	appellation — *métro RER tramway*
O 12	5	**Montagne-Ste-Geneviève** (de la) *Maubert-Mutualité*
H 8	8	**Montaigne** (av.) *Alma-Marceau, F.-D.-Roosevelt*
D 13	15	**Mont-Aigoual** (du) *Javel*
L 10	7	**Montalembert** *Rue du Bac*
K 7	8	**Montalivet** *Miromesnil*
G 15	15	**Montauban** *Convention*
D 11	16	**Mont-Blanc** (sq. du) *Égl. d'Auteuil*
L 16	14	**Montbrun** (pass.) *Alésia*
L 16	14	**Montbrun** *Alésia*
N 2	18	**Montcalm** *Jules-Joffrin*
M 2	18	**Montcalm** (villa) *Lamarck-Caul.*
O 2	18	**Mont-Cenis** (pass. du) *Pte Clignancourt*
O 2	18	**Mont-Cenis** (du) *Lamarck Caul., J.-Joffrin, Pte de Clignancourt*
K 4	17	**Mont-Dore** (du) *Rome*
O 11	5	**Montebello** (q. de) *Maubert-Mutualité*
G 16	15	**Montebello** *Brancion*
V 10	20	**Monte-Cristo** *A.-Dumas*
W 13	12	**Montempoivre** (bd) *Bel-Air*
V 13	12	**Montempoivre** (sentier de) *Bel-Air*
V 6	19	**Montenegro** (pass. du) *Télégraphe*
G 6	17	**Montenotte** (de) *Ternes*
W 12		**Montéra** *Vincennes*
D 8	16	**Montespan** (av. de) *Rue de la Pompe*
N 9	1	**Montesquieu** *Palais-Royal*
W 14	12	**Montesquiou-Fezensac** *Pte Dorée*
D 8	16	**Montevideo** (de) *Pte Dauphine*
M 11	6	**Montfaucon** (de) *Mabillon*
T 13	12	**Montgallet** (pass.) *Montgallet*
T 13	12	**Montgallet** *Montgallet*
P 8	3	**Montgolfier** *Arts-et-Métiers*
L 5	9	**Monthiers** (cité) *Pl. de Clichy*
O 6	9	**Montholon** (de) *Cadet*
W 8	20	**Montibœufs** (des) *Pelleport*
L 17	14	**Monticelli** *Pte d'Orléans*
T 10	15	**Mont-Louis** (imp. de) *Ph.-Auguste*
T 10	15	**Mont-Louis** (de) *Ph.-Auguste*
N 7	2/9	**Montmartre** (bd) *Richelieu-Drouot*
N 8	2	**Montmartre** (cité) *Sentier*
N 7	2	**Montmartre** (gal.) *Grands-Boulevards*
N 8	1/2	**Montmartre** *Les Halles, Sentier, Grands-Boulevards*
B 11	16	**Montmorency** (av. de) *Michel-A.-Auteuil*
B 10	16	**Montmorency** (bd de) *Michel-A.-Auteuil*
P 9	3	**Montmorency** (de) *Arts-et-Métiers*
B 11	16	**Montmorency** (villa) *Michel-A.-Auteuil*
O 8	1/2	**Montorgueil** *Les Halles, Sentier*
M 13	14	**Mont-Tonnerre** (villa du) *Falguière*
L 13	14	**Montparnasse** (pass.) *Montparnasse*
L 13	6/14	**Montparnasse** (du) *Edgar-Quinet*
M 8	1	**Montpensier** (gal. de) *Palais-Royal*
M 8	1	**Montpensier** (de) *Palais-Royal*
V 11	11	**Montreuil** (de) *Faidherbe-Chal., Nation, Avron*
M 17	14	**Montsouris** (sq. de) *Pte d'Orléans*
G 9	7	**Monttessuy** (de) *Pt de l'Alma*
L 8	1	**Mont-Thabor** (du) *Tuileries*
K 13	15	**Monttonnerre** (villa du) *Falguière*
N 7	9	**Montyon** (de) *Grands-Boulevards*
D 8	16	**Mony** *Rue de la Pompe*
S 8	11	**Morand** *Couronnes*
R 11	12	**Moreau** *Ledru-Rollin*
K 17		**Morère** *Pte d'Orléans*
S 8	11	**Moret** *Couronnes*
G 11	15	**Morieux** (cité) *Bir-Hakeim*
H 15	15	**Morillons** (des) *Convention*
Q 12	4	**Morland** (bd) *Sully-Morland*
Q 12	4/12	**Morland** (pt) *Quai de la Rapée*

plan	arr.	appellation — *métro RER tramway*
U 11	11	**Morlet** (imp.) *Avron*
M 6	9	**Morlot** *Trinité*
Q 11		**Mornay** *Quai de la Rapée*
K 15		**Moro-Giafferi** (pl. de) *Pernety*
W 8	20	**Mortier** (bd) *Pte de Bagnolet, St-Fargeau, Pte des Lilas*
S 9	11	**Morvan** (du) *Voltaire*
L 5	8	**Moscou** (de) *Liège, Rome*
S 4	17	**Moselle** (pass. de la) *Laumière*
S 4	19	**Moselle** (de la) *Laumière*
M 2	18	**Moskova** (de la) *Pte de St-Ouen*
O 13	5	**Mouffetard** *Place Monge, Censier-Daub.*
O 13	5	**Mouffetard-Monge** (gal.) *Place Monge*
R 9	19	**Moufle** *Richard-Lenoir*
D 13	15	**Moulin-de-Javel** (pl. du) *Bd Victor*
P 17	13	**Moulin-de-la-Pointe** (du) *Tolbiac*
J 15	14	**Moulin-de-la-Vierge** (du) *Plaisance*
K 15	14	**Moulin-des-Lapins** (du) *Pernety*
P 16	13	**Moulin-des-Prés** (pass. du) *Pl. d'Italie*
P 16	13	**Moulin-des-Prés** (du) *Corvisart, Tolbiac*
P 16	13	**Moulinet** (pass. du) *Tolbiac*
P 16	13	**Moulinet** (du) *Tolbiac*
U 11	11	**Moulin-Dagobert** (villa du) *Rue des Boulet.*
S 7	19	**Moulin-Joly** (du) *Couronnes*
M 8	1	**Moulins** (des) *Pyramides*
L 16	14	**Moulin-Vert** (imp. du) *Alésia*
K 15	14	**Moulin-Vert** (du) *Alésia*
W 12	20	**Mounet-Sully** *Pte de Vincennes*
W 10	20	**Mouraud** *Pte de Montreuil*
U 12	12	**Mousset** (imp.) *Montgallet*
V 13	12	**Mousset-Robert** *Picpus*
Q 2	18	**Moussorgski** *Marx-Dormoy*
P 10	4	**Moussy** (de) *Hôtel-de-Ville*
L 15	14	**Mouton-Duvernet** *Mouton-Duvernet*
V 5	19	**Mouzaïa** (de) *Botzaris, P.-St-Gervais*
T 13	12	**Moynet** (cité) *Montgallet*
D 10	16	**Mozart** (av.) *La Muette, Ranelagh, Jasmin, Michel-A.-Auteuil*
C 10	16	**Mozart** (sq.) *Ranelagh*
C 11	16	**Mozart** (villa) *Jasmin*
C 10	16	**Muette** (chaussée de la) *La Muette*
O 7	2	**Mulhouse** (de) *Sentier*
O 4	18	**Muller** *Château-Rouge*
B 14	16	**Murat** (bd) *Pte d'Auteuil, Pte de St-Cloud*
B 14	16	**Murat** (villa) *Pte de St-Cloud*
U 8	20	**Mûriers** (des) *Gambetta*
J 6		**Murillo** *Courcelles*
C 13	16	**Musset** (de) *Exelmans*
O 12	5	**Mutualité** (sq. de la) *Maubert-Mutualité*
P 4	18	**Myrha** *Château-Rouge*
J 6		**Myron-Herrick** (av.) *St-Philippe.-du-R.*

N

plan	arr.	appellation — *métro RER tramway*
K 2	17	**Naboulet** (imp.) *Guy-Môquet*
P 7	10	**Nancy** (de) *J.-Bonsergent*
T 8		**Nanettes** (des) *Ménilmontant*
M 17	14	**Nansouty** (imp.) *Cité Universitaire*
M 17		**Nansouty** *Cité Universitaire*
T 3	19	**Nantes** (de) *Corentin-Cariou*
H 14	15	**Nanteuil** *Convention*
K 5		**Naples** (de) *Villiers*
M 9	1	**Napoléon** (cour) *Palais-Royal*
P 5	10	**Napoléon-III** (pl.) *Gare du Nord*
L 11	7	**Narbonne** (de) *Sèvres-Babylone*
C 12	16	**Narcisse-Diaz** *Mirabeau*
J 6		**Narvik** (pl. de) *Miromesnil*
Q 8	3	**Nathalie-Lemel** (pl.) *Temple*
U 12	11/12	**Nation** (pl. de la) *Nation*
R 17	13	**National** (pass.) *Pte d'Ivry*
T 16	12/13	**National** (pont) *Bibliothèque François Mitter.*

plan	arr.	appellation	métro RER tramway
16	13	**Nationale** (imp.)	*Olympiades*
16	13	**Nationale** (pl.)	*Olympiades*
15	13	**Nationale**	*Pte d'Ivry, Olympiades, Nationale*
14	16	**Nations-Unies** (av. des)	*Trocadéro*
3	18	**Nattier** (pl.)	*Lamarck-Caul.*
5	9	**Navarin** (de)	*Pigalle*
13	5	**Navarre** (de)	*Place Monge*
2	17	**Navier**	*Pte de St-Ouen*
10	4	**Necker** (de)	*St-Paul*
10	7	**Négrier** (cité)	*Latour-Maubourg*
11	15	**Nélaton**	*Bir-Hakeim*
8	11	**Nemours** (de)	*Parmentier*
4	11	**Nesle** (de)	*Odéon*
5	16/17	**Neuilly** (av. de)	*Pte Maillot*
15	15	**Neuf-Novembre-1989** (espl. du)	
			Pte de Versailles
2	18	**Neuve-de-la-Chardonnière**	*Simplon*
11	11	**Neuve-des-Boulets**	*Charonne*
8	11	**Neuve-Popincourt**	*Parmentier*
11	4	**Neuve-St-Pierre**	*St-Paul*
13	13	**Neuve-Tolbiac**	*Bibliothèque François Mitterrand*
6	6	**Néva** (de la)	*Ternes*
6	6	**Nevers** (imp. de)	*Odéon*
3	6	**Nevers** (de)	*Pont-Neuf*
7	6	**Newton**	*Ch.-de-G.-Étoile*
9	16	**New-York** (av. de)	*Alma-Marceau, Iéna, Passy*
1	17	**Ney** (bd)	*Pte de la Chapelle, Pte de Clignancourt,*
			Pte de St-Ouen
4	14	**Nicaragua** (pl. du)	*Wagram*
10	11	**Nice**	*Charonne*
14	20	**Nicolaï**	*Dugommier*
9	11	**Nicolas-Appert**	*Richard-Lenoir*
3	17	**Nicolas-Charlet**	*Pasteur*
3	17	**Nicolas-Chuquet**	*Pereire*
13	4	**Nicolas-de-Blégny**	*Voltaire*
16	13	**Nicolas-Flamel**	*Châtelet*
16	13	**Nicolas-Fortin**	*Place d'Italie*
3	5	**Nicolas-Houël**	*Austerlitz*
14	13	**Nicolas-Roret**	*Les Gobelins*
17	14	**Nicolas-Taunay**	*Pte d'Orléans*
4	17	**Nicolay** (sq.)	*Brochant*
4	19	**Nicole-Chouraqui**	*Laumière*
3	18	**Nicolet**	*Château-Rouge*
10	16	**Nicolo**	*La Muette*
10	16	**Nicolo** (hameau)	*La Muette*
4	17	**Niel** (av.)	*Ternes, Pereire*
3	17	**Niel** (villa)	*Ternes*
	14	**Niepce**	*Pernety*
7	17	**Nieuport** (villa)	*Olympiades*
13	12	**Niger** (du)	*Pte de Vincennes*
2		**Nil** (du)	*Sentier*
3	15	**Nobel**	*Lamarck-Caul.*
3	15	**Nocard**	*Bir-Hakeim*
9	20	**Noël-Ballay**	*Pte de Vincennes*
7	17	**Noisiel** (de)	*Pte Dauphine*
6	20	**Noisy-le-Sec** (de)	*St-Fargeau*
4	17	**Nollet**	*Pl. de Clichy, Brochant*
3	17	**Nollet** (sq.)	*Brochant*
3		**Nollez** (cité)	*Lamarck-Caul.*
10	4	**Nom-de-Jésus** (cour du)	*Bastille*
	4	**Nonnains-d'Hyères** (des)	*Pont-Marie*
	9	**Nord** (pass. du)	*Laumière*
	4	**Nord** (du)	*Marcadet-Pois.*
	8	**Normandie** (de)	*Filles-du-Calv.*
	4	**Norvins**	*Abbesses*
10	4	**Notre-Dame** (pt)	*Cité*
O 7	2	**Notre-Dame-de-Bonne-Nouvelle**	
			Bonne-Nouvelle
N 6	9	**Notre-Dame-de-Lorette**	*St-Georges*
Q 8	3	**Notre-Dame-de-Nazareth**	*Temple,*
			Strasbourg-St-Denis
O 7	2	**Notre-Dame-de-Recouvrance**	
			Bonne-Nouvelle
M 13	6	**Notre-Dame-des-Champs**	*St-Placide,*
			N.-D.-des-Champs, Port-Royal
N 8	2	**Notre-Dame-des-Victoires**	*Bourse*
T 7	20	**Nouveau-Belleville** (sq. du)	*Couronnes*
U 3	19	**Nouveau-Conservatoire** (av. du)	
			Pte de Pantin
G 6	8	**Nouvelle** (villa)	*Ch.-de-G.-Étoile*
W 14	13	**Nouvelle-Calédonie** (de la)	*Pte Dorée*
V 4	19	**Noyer-Durand**	*Pte de Pantin*
A 13	18	**Nungesser-et-Coli**	*Michel-A.-Molitor*
W 7	20	**Nymphéas** (villa des)	*St-Fargeau*

O

plan	arr.	appellation	métro RER tramway
R 8	11	**Oberkampf**	*Oberkampf, Parmentier, Ménilmontant*
M 14	5/6/14	**Observatoire** (av. de l')	*Port-Royal*
K 13	15	**Océane** (porte)	*Montparnasse-B.*
W 8	20	**Octave-Chanute** (pl.)	*Pte de Bagnolet*
D 9	16	**Octave-Feuillet**	*Av. H.-Martin*
G 10	7	**Octave-Gréard** (av.)	*Champ de Mars*
O 9	1	**Oculus** (de l')	*"Forum des Halles"*
			Châtelet-Les Halles
N 11	6	**Odéon** (carr. de l')	*Odéon*
N 11	6	**Odéon** (pl. de l')	*Odéon*
N 11	6	**Odéon** (de l')	*Odéon*
L 13	14	**Odessa** (d')	*Montparnasse-B.*
H 7	8	**Odiot** (cité)	*George-V*
T 3	19	**Oise** (q. de l')	*Crimée*
T 3	19	**Oise** (de l')	*Crimée*
Q 9	3	**Oiseaux** (des)	*Arts-et-Métiers*
F 14	15	**Olier**	*Pte de Versailles*
Q 3	18	**Olive** (l')	*Marx-Dormoy*
K 11	7	**Olivet** (d')	*Vaneau*
G 14	15	**Olivier-de-Serres** (pass.)	*Convention*
G 14	15	**Olivier-de-Serres**	*Convention, Pte de Versailles*
S 15	13	**Olivier-Messiaen**	
			Bibliothèque François Mitterrand
U 7	20	**Olivier-Métra**	*Pl. des Fêtes*
U 7	20	**Olivier-Métra** (villa)	*Pl. des Fêtes*
K 15	14	**Olivier-Noyer**	*Alésia*
Q 8	3	**Olympe-de-Gouges** (pl.)	*Filles-du-Calv.*
T 9	14	**Omer-Talon**	*Père-Lachaise*
P 17	13	**Onfroy** (imp.)	*Tolbiac*
P 6	9	**Onze-Novembre-1918** (pl. du)	*Gare de l'Est*
M 8	1/2	**Opéra** (av. de l')	*Palais-Royal, Pyramides, Opéra*
M 7	2/9	**Opéra** (pl. de l')	*Opéra*
L 7	9	**Opéra-Louis-Jouvet** (sq. de l')	*Auber*
E 15	15	**Oradour-sur-Glane** (d')	*Pte de Versailles*
P 3	18	**Oran** (d')	*Marcadet-Pois.*
N 9	1	**Oratoire** (de l')	*Louvre*
M 4	18	**Orchampt** (d')	*Abbesses*
O 17	13	**Orchidées** (des)	*Cité Universitaire*
O 3	18	**Ordener**	*Marx-Dormoy, Marcadet-Pois.,*
			Jules-Joffrin, Guy-Môquet
N 2	18	**Ordener** (villa)	*Jules-Joffrin*
N 10	1	**Orfèvres** (q. des)	*Cité*
O 10	1	**Orfèvres** (des)	*Châtelet*
U 8	20	**Orfila** (imp.)	*Gambetta*
V 8	20	**Orfila**	*Gambetta, Pelleport*
P 8	3	**Orgues** (pass. des)	*Temple*
S 3	19	**Orgues-de-Flandre** (all. des)	*Riquet*
O 9	1	**Orient-Express** (de l')	*"Forum des Halles"*
			Châtelet-Les Halles
S 7	11	**Orillon** (de l')	*Belleville*

plan	arr.	appellation	métro RER tramway
M 8	1	Orléans (galerie d')	Palais-Royal
L 15	14	Orléans (portiques d')	Mouton-Duvernet
P 11	4	Orléans (q. d')	Pont-Marie
M 6	9	Orléans (sq. d')	Trinité
L 16	14	Orléans (villa d')	Alésia
V 6	19	Orme (de l')	Pré-St-Gervais
V 11	20	Ormeaux (des)	Avron
V 11	20	Ormeaux-Grands-Champs (pass.)	Buzenval
Q 10	4	Ormesson (d')	St-Paul
O 2	18	Ornano (bd)	Marcadet-Pois., Simplon, Pte de Clignancourt
O 3	18	Ornano (sq.)	Marcadet-Pois.
O 2	18	Ornano (villa)	Pte de Clignancourt
K 9	7	Orsay (quai d')	Invalides, Pt de l'Alma
N 4	18	Orsel (cité d')	Anvers
N 4	18	Orsel (d')	Anvers
V 10	20	Orteaux (imp. des)	A.-Dumas
W 10	20	Orteaux (des)	A.-Dumas, Maraîchers, Pte de Montreuil
O 13	5	Ortolan	Place Monge
F 13	18	Oscar-Roty	Boucicaut
L 3	18	Oslo (d')	Guy-Môquet
C 10	16	Oswaldo-Cruz	Ranelagh
C 10	16	Oswaldo-Cruz (villa)	Ranelagh
V 6	20	Otages (villa des)	St-Fargeau
T 7	20	Ottoz (villa)	Pyrénées
K 11	7	Oudinot (imp.)	Vaneau
K 11	7	Oudinot	St-François-Xavier
P 14	13	Oudry	Les Gobelins
G 11	15	Ouessant (d')	La Motte-Picquet
K 14	14	Ouest (de l')	Gaîté
U 2	19	Ourcq (galerie de l')	Pte de Pantin
S 2	19	Ourcq (de l')	Ourcq, Crimée
S 11	11	Ours (cour de l')	Ledru-Rollin
O 9	3	Ours (aux)	Étienne-Marcel
L 13	6	Ozanam (pl.)	N.D.-des-Champs

P

L 13	6/14	Pablo-Picasso (pl.)	Vavin
T 10	11	Pache	Voltaire
B 11	16	Padirac (sq. de)	Pte d'Auteuil
X 11	20	Paganini	Pte de Montreuil
N 2	5	Paillet	Luxembourg
M 7	2	Paix (de la)	Opéra
Q 3	18	Pajol	La Chapelle, Marx-Dormoy
D 10	16	Pajou	La Muette
O 10	1/4	Palais (bd du)	Cité
K 9	7	Palais-Bourbon (pl. du)	Ass. Nationale
M 9	1	Palais-Royal (pl. du)	Palais-Royal
U 6	19	Palais-Royal-de-Belleville (cité du)	Pl. des Fêtes
M 11	6	Palatine	St-Sulpice
U 6	19	Palestine (de)	Jourdain
O 8	2	Palestro (de)	Réaumur-Séb.
S 7	20	Pali-Kao (de)	Couronnes
O 3	18	Panama (de)	Château-Rouge
R 9	11	Paname (les galeries de)	Richard-Lenoir
S 15	13	Panhard-et-Levassor (q.)	Bibliothèque François Mitterrand
S 11	11	Panier-Fleuri (cour du)	Ledru-Rollin
N 7	2	Panoramas (pass. des)	Grands-Boulevards
N 7	2	Panoramas (des)	Bourse
T 8	20	Panoyaux (imp. des)	Ménilmontant
T 8	20	Panoyaux (des)	Ménilmontant
O 12	5	Panthéon (pl. des Grds Hommes) (pl. du)	Luxembourg
S 15	13	Pao-Casals	Bibliothèque François Mitterrand
O 6	9	Papillon	Cadet
P 8	3	Papin	Réaumur-Séb.
O 6	10	Paradis (cité)	Poissonnière

plan	arr.	appellation	métro RER tramway
P 6	10	Paradis (de)	Château-d'Eau, Poissonnière
D 7	16	Paraguay (pl. du)	Pte Dauphine
S 6	19	Parc (villa du)	Buttes-Chaumont
V 9	20	Parc-de-Charonne (de)	Gambetta
P 16	13	Parc-de-Choisy (ch. du)	Tolbiac
M 17	14	Parc-de-Montsouris (du)	Cité Universitaire
M 17	14	Parc-de-Montsouris (v. du)	Cité Universitaire
E 10	16	Parc-de-Princes (av. du)	Passy
A 13	16	Parc-des-Princes (av. du)	Pte de St-Cloud
R 11	11	Parchappe (cité)	Bastille
O 11	5	Parcheminerie (de la)	Cluny-La Sorbonne
Q 10	3	Parc-Royal (du)	Chemin-Vert
B 13	16	Parent-de-Rosan	Exelmans
L 5	9	Parme (de)	Pl. de Clichy
R 8	10/11	Parmentier (av.)	Voltaire, St-Ambroise, Parmentier, Goncourt
L 13	14	Parnassiens (cité des)	Vavin
R 12	12	Parrot	Gare de Lyon
U 8	20	Partants (des)	Gambetta
N 4	18	Parvis-du-Sacré-Cœur (pl. du)	Abbesses
O 11	4	Parvis-Notre-Dame - Place Jean-Paul-Cité
O 14	5/13	Pascal	Les Gobelins
R 10	3/4	Pas-de-la-Mule (de)	Bastille
Q 9	11	Pasdeloup (de)	Filles-du-Calvaire
L 6	9	Pasquier	Madeleine, St-Lazare
D 10	16	Passy (pl.de)	La Muette
F 10	16	Passy (de)	Passy, La Muette
F 10	16	Passy (port de)	Passy
D 10	16	Passy-Plaza (gal.)	Boulainvilliers
J 13	15	Pasteur (bd)	Pasteur
J 12	15	Pasteur (sq.)	Sèvres-Lecourbe
S 9	11	Pasteur	St-Ambroise
E 9	16	Pasteur-Marc-Bœgner	Rue de la Pompe
R 10	9	Pasteur-Wagner (du)	Bréguet-Sabin
Q 9	3	Pastourelle	Arts-et-Métiers
S 16	13	Patay (du)	Bibliothèque François Mitterrand
W 11	20	Patenne (sq.)	Pte de Vincennes
O 13	5	Patriarches (pass. des)	Censier-Daubenton
O 13	5	Patriarches (des)	Censier-Daubenton
D 11	16	Patrice-Boudart (villa)	Jasmin
W 11	20	Patrice-de-la-Tour-du-Pin	Pte de Montreuil
D 12	16	Pâtures (des)	Mirabeau
H 16	14	Paturle	Pte de Vanves
M 2	18	Paul-Abadie	Pte de Saint-Ouen
G 4	17	Paul-Adam (av.)	Pte de Champerret
G 4	18	Paul-Albert	Château-Rouge
L 17	14	Paul-Appell (av.)	Pte d'Orléans
H 14	15	Paul-Barruel	Vaugirard
H 7	8	Paul-Baudry	St-Philippe-du-R.
C 12	14	Paul-Beauregard (pl.)	Égl. d'Auteuil
T 14	12	Paul-Belmondo	Cour St-Émilion
T 11	11	Paul-Bert	Faidherbe-Chal.
W 15	12	Paul-Blanchet (sq.)	Pte Dorée
K 2	17	Paul-Bodin (de)	Pte de Clichy
H 4	17	Paul-Borel	Malesherbes
P 18	13	Paul-Bourget (de)	Porte d'Italie
J 6	8	Paul-Cézanne	St-Philippe-du-R.
H 12	15	Paul-Chautard	Cambronne
N 12	6	Paul-Claudel (pl.)	Odéon
W 13	12	Paul-Crampel	Bel-Air
V 6	19	Paul-de-Kock	Télégraphe
D 9	16	Paul-Delaroche	La Muette
G 15	15	Paul-Delmet	Convention
T 3	19	Paul-Delouvrier (pl.)	Corentin-Cariou
G 11	15	Paul-Déroulède (av.)	La Motte-Picquet
G 9	7	Paul-Deschanel (all.)	Pt de l'Alma
E 9	16	Paul-Doumer (av.)	Trocadéro, La Muette
Q 8	3	Paul-Dubois	Temple

plan	arr.	appellation	métro RER tramway
13	12	Paul-Dukas *Daumesnil*	
3	16	Paul-Dupuy *Mirabeau*	
3	1	Paul-Éluard (pl.) *Marx-Dormoy*	
5	9	Paul-Escudier *Blanche*	
9	7	Paul-et-Jean-Lerolle *Invalides*	
3	18	Paul-Féval *Lamarck-Caul.*	
17	13	Paul-Gervais *Corvisart*	
15	12	Paul-Henri-Grauwin *Gare de Lyon*	
12	15	Paul-Hervieu *Javel*	
10	12	Pauline-Kergomard *Maraîchers*	
8	13	Paulin-Enfert *Pte d'Italie*	
8	13	Paulin-Méry *Pl. d'Italie*	
10	20	Paul-Jean-Toulet *Maraîchers*	
4	1	Paul-Klee	
8	19	Paul-Laurent *Stalingrad*	
4	17	Paul-Léautaud (pl.) *Pereire*	
8	2	Paul-Lelong *Bourse*	
10	7	Paul-Louis-Courier (imp.) *Bac*	
10	7	Paul-Louis-Courier *Bac*	
1	20	Paul-Meurice *Pte des Lilas*	
11	5	Paul-Painlevé (pl.) *Cluny-La Sorbonne*	
3	16	Paul-Reynaud *Pte de St-Cloud*	
9	7	Paul-Saunière *Passy*	
13	6	Paul-Séjourné *Vavin*	
3	20	Paul-Signac (pl.) *Pelleport*	
8	20	Paul-Strauss *Pte de Bagnolet*	
3	17	Paul-Tortelier (pl.) *Pte de Clichy*	
18	14	Paul-Vaillant-Couturier (av.) *Gentilly*	
7	16	Paul-Valéry *Victor-Hugo*	
6	13	Paul-Verlaine (pl.) *Pl. d'Italie*	
15	19	Paul-Verlaine (villa) *Danube*	
10	14	Pauly *Plaisance*	
5	4	Pavée *St-Paul*	
2	17	Pavillons (av. des) *Pte Maillot*	
12	20	Pavillons (des) *Télégraphe*	
10	13	Péan *Pte d'Ivry*	
13	3	Payenne *St-Paul*	
14	4	Pecquay *Rambuteau*	
3	15	Péclet *Vaugirard*	
8	6	Péguy *Vavin*	
7	9	Peintres (imp. des) *Étienne-Marcel*	
7	20	Pékin (pass. de) *Couronnes*	
2	11	Pelée *Richard-Lenoir*	
9	17	Pèlerin (imp. du) *Pte de Clichy*	
7	1	Pélican (du) *Palais-Royal*	
2	20	Pelleport *Pte de Bagnolet, Pelleport, Télégraphe*	
3	20	Pelleport (villa) *Télégraphe*	
6	8	Pelouze *Villiers*	
12	18	Penel (pass.) *Pte de Clignancourt*	
2	12	Pensionnat (du) *Nation*	
6	8	Penthièvre (de) *Miromesnil*	
6	14	Pépinière (de la) *St-Lazare*	
2	20	Perchamps (des) *Michel-A.-Auteuil*	
6	3	Perche (du) *St-Sébastien-Froissart*	
6	8	Percier (av.) *Miromesnil*	
1	10	Perdonnet *La Chapelle*	
3	16	Père-Brottier (du) *Égl. d'Auteuil*	
1	11	Père-Chaillet (pl. du) *Voltaire*	
16	13	Père-Corentin (du) *Pte d'Orléans*	
5	13	Père-Guérin (du) *Pl. d'Italie*	
5	17	Pereire (bd) *Malesherbes, Pereire, Pte Maillot*	
7	20	Père-Julien-Dhuit (all. du) *Pyrénées*	
7	20	Père-Julien-Dhuit (du) *Pyrénées*	
8	20	Père-Lachaise (av. du) *Gambetta*	
10	16	Père-Marcellin-Champagnat (pl. du) *Passy*	

plan	arr.	appellation	métro RER tramway
W 8	20	Père-Prosper-Enfantin (du) *Pte de Bagnolet*	
O 13	5	Père-Teilhard-de-Chardin (du) *Censier-Daubenton*	
Q 11	4	Père-Teilhard-de-Chardin (pl. du) *Sully-Morland*	
E 6		Pergolèse *Argentine, Pte Maillot*	
G 15	15	Périchaux (des) *Georges Brassens*	
J 12	7/15	Pérignon *Ségur*	
W 10	20	Périgord (sq. du) *Pte de Montreuil*	
U 4	19	Périgueux (du) *Danube*	
O 9	4	Perle (de la) *St-Sébastien-Froissart*	
O 10	4	Pernelle *Châtelet*	
S 6	20	Pernette-du-Guillet (all.) *Belleville*	
K 15	14	Pernety *Pernety*	
J 6	8	Pérou (pl. du) *Miromesnil*	
N 9	1	Perrault *Louvre*	
Q 8	3	Perrée *Temple*	
W 8	20	Perreur (pass.) *Pelleport*	
W 8	20	Perreur (villa) *Pelleport*	
D 11	16	Perrichont (av.) *Égl. d'Auteuil*	
L 10	7	Perronet *St-Germain-des-P.*	
O 3	15	Pers (imp.) *Marcadet-Pois.*	
E 5	17	Pershing (bd) *Pte Maillot*	
O 13	5	Pestalozzi *Place Monge*	
G 13	15	Pétel *Vaugirard*	
F 5	20	Peterhof (av. de) *Pte de Champerret*	
L 2	18	Pétiet *Guy-Môquet*	
V 6	19	Pétin (imp.) *Pré-St-Gervais*	
T 10	11	Pétion *Voltaire*	
T 4	17	Petit (av. du) *Laumière, Ourcq, Pte de Pantin*	
K 12	17	Petit-Cerf (pass.) *Pte de Clichy*	
B 14	16	Petite-Arche (de la) *Pte de St-Cloud*	
M 11	6	Petite-Boucherie (pass. de la) *St-Germain-des-P.*	
U 10	11	Petite-Pierre (de la) *Charonne*	
P 7	10	Petites-Écuries (cour des) *Château-d'Eau*	
O 6	10	Petites-Écuries (des) *Château-d'Eau*	
O 9	1	Petite-Truanderie (de la) *Étienne-Marcel*	
R 8	1	Petite-Voirie (pass. de la) *Parmentier*	
P 15	13	Petit-Modèle (imp. du) *Pl. d'Italie*	
O 14	5	Petit-Moine (du) *Censier-Daubenton*	
Q 11	4	Petit-Musc (du) *Sully-Morland*	
U 6	19	Petitot *Pl. des Fêtes*	
O 11	4/5	Petit-Pont *St-Michel*	
O 11	5	Petit-Pont (pl. du) *St-Michel*	
O 11	5	Petit-Pont (du) *St-Michel*	
O 8	2	Petits-Carreaux (des) *Sentier*	
M 8	1/2	Petits-Champs (des) *Pyramides*	
P 6	10	Petits-Hôtels (des) *Poissonnière*	
N 8	2	Petits-Pères (pass. des) *Bourse*	
N 8	2	Petits-Pères (pl. des) *Bourse*	
N 8	2	Petits-Pères (des) *Bourse*	
V 3	19	Petits-Ponts (rte des) *Hoche*	
E 9	16	Pétrarque *Trocadéro*	
E 9	16	Pétrarque (sq.) *Trocadéro*	
O 5	9	Pétrelle *Barbès-Roch.*	
O 5	9	Pétrelle (sq.) *Barbès-Roch.*	
B 12	16	Peupliers (av. des) *Pte d'Auteuil*	
P 17	13	Peupliers (des) *Tolbiac*	
P 16	13	Peupliers (sq. des) *Tolbiac*	
T 10	11	Phalsbourg (cité de) *Charonne*	
J 5	17	Phalsbourg (de) *Monceau*	
H 3	17	Philibert-Delorme *Pereire*	
Q 17	13	Philibert-Lucot *Maison-Blanche*	
W 11	20	Philidor *Maraîchers*	
W 11	20	Philidor (imp.) *Maraîchers*	
U 11	11	Philippe-Auguste (av.) *Nation, Rue des Boulets, Philippe-Auguste*	
U 11	11	Philippe-Auguste (pass.) *Rue des Boulets*	

37

plan	arr.	appellation	métro RER tramway
P 15	13	**Philippe-de-Champagne** *Pl. d'Italie*
Q 5	10/18	**Philippe-de-Girard** *Louis-Blanc, La Chapelle, Marx-Dormoy*
S 6	19	**Philippe-Hecht** *Bolivar*
T 10	11	**Philosophie** (all. du) *Charonne*
T 7	20	**Piat** *Pyrénées*
Q 8	3	**Picardie** (de) *Filles-du-Calvaire*
E 6	16	**Piccini** *Pte Maillot*
D 13	15	**Pic-de-Barrette** (du) *Javel*
E 7	16	**Picot** *Victor-Hugo*
V 12	12	**Picpus** (bd de) *Bel-Air, Picpus, Nation*
V 13	12	**Picpus** (de) *Nation, Bel-Air, Michel-Bizot, Porte Dorée*
N 4	18	**Piémontési** *Pigalle*
P 9	9	**Pierre-au-Lard** *Rambuteau*
U 9	20	**Pierre-Bayle** *Philippe-Auguste*
V 9	20	**Pierre-Bonnard** *Gambetta*
U 12	12	**Pierre-Bourdan** *Nation*
G 8	16	**Pierre-Brisson** (pl.) *Alma-Marceau*
O 13	5	**Pierre-Brossolette** *Place Monge*
P 3	18	**Pierre-Budin** *Marcadet-Pois.*
P 7	10	**Pierre-Bullet** *J.-Bonsergent*
H 7	8	**Pierre-Charron** *F-D.-Roosevelt*
Q 7	10	**Pierre-Chausson** *J.-Bonsergent*
S 15	13	**Pierre-Choderlos-de-Laclos** *Quai de la Gare*
N 3	18	**Pierre-Dac** *Lamarck-Caul.*
N 18	13/14	**Pierre-de-Coubertin** (av.) *Gentilly*
T 3	17	**Pierre-Demours** *Ternes, Pereire*
G 5	10	**Pierre-Dupont** *Louis-Blanc*
M 11	6	**Pierre-Dux** (pl.) *Odéon, Luxembourg*
N 12	5	**Pierre-et-Marie-Curie** *Luxembourg*
W 7	20	**Pierre-Foncin** *St-Fargeau*
M 5	9	**Pierre-Fontaine** *Blanche*
L 4	18	**Pierre-Ginier** *La Fourche*
L 4	18	**Pierre-Ginier** (villa) *La Fourche*
S 4	19	**Pierre-Girard** *Laumière*
R 15	13	**Pierre-Gourdault** *Chevaleret*
C 11	16	**Pierre-Guérin** *Michel-A.-Auteuil*
M 4	9	**Pierre-Haret** *Blanche*
T 3	17	**Pierre-Jean-Jouve** *Ourcq*
S 17	13	**Pierre-Joseph-Desault** *Pte d'Ivry*
L 12	6	**Pierre-Lafue** (pl.) *N.-D.-des-Champs*
N 13	5	**Pierre-Lampué** (pl.) *Censier-Daubenton*
J 11	7	**Pierre-Laroque** (pl.) *Ecole-Militaire*
J 16	14	**Pierre-Larousse** *Plaisance*
O 8	2	**Pierre-Lazareff** (all. et pl.) *Sentier*
H 6	8	**Pierre-Le-Grand** *Ternes*
P 4	18	**Pierre-l'Ermite** *La Chapelle*
K 12	7	**Pierre-Leroux** *Vaneau*
J 16	14	**Pierre-Le-Roy** *Pte de Vanves*
O 9	1	**Pierre-Lescot** *Châtelet-Les Halles*
R 8	11	**Pierre-Levée** (de la) *Parmentier*
G 10	7	**Pierre-Loti** (av.) *Ecole-Militaire*
D 11	16	**Pierre-Louÿs** *Mirabeau*
Q 2	18	**Pierre-Mac-Orlan** (pl.) *Pte de la Chapelle*
M 18	14	**Pierre-Massé** (av.) *Cité Universitaire*
R 14	13	**Pierre-Mendès-France** (av.) *Quai de la Gare, Gare d'Austerlitz*
F 15	15	**Pierre-Mille** *Pte de Versailles*
R 1	18	**Pierre-Mollaret** (all.) *Pte de la Chapelle*
W 8	20	**Pierre-Mouillard** *Pte de Bagnolet*
N 13	5	**Pierre-Nicole** *Port-Royal*
O 4	18	**Pierre-Picard** *Barbès-Roch.*
G 8	8/16	**Pierre-1er-de-Serbie** (av.) *Iéna, Alma-Marceau*
W 8	20	**Pierre-Quillard** *Pte de Bagnolet*
K 1	17	**Pierre-Rebière** *Pte de Clichy*
S 4	19	**Pierre-Reverdy** *Laumière*
N 11	6	**Pierre-Sarrazin** *Cluny-La Sorbonne*
O 5	9	**Pierre-Semard** *Poissonnière*
X 7	20	**Pierre-Soulié** *Pte des Lilas*
W 9	20	**Pierre-Vaudrey** (pl.) *Pte de Bagnolet*
H 9	7	**Pierre-Villey** *Ecole-Militaire*
D 12	15	**Piet-Mondrian** *Javel*
M 5	9	**Pigalle** (cité) *Pigalle*
M 5	9	**Pigalle** (pl.) *Pigalle*
R 9	11	**Pihet** *Parmentier*
C 9	16	**Pilâtre-de-Rozier** (all.) *La Muette*
U 9	20	**Pilier** (imp. du) *Ph.-Auguste*
O 9	1	**Piliers** (des) "Forum des Halles" *Châtelet-Les Halles*
M 7	9	**Pillet-Will** *Chaussée-d'Antin*
L 3	17	**Pilleux** (cité) *La Fourche*
Q 15	13	**Pinel** (pl.) *Nationale*
P 15	13	**Pinel** *Nationale*
P 14	13	**Pirandello** *Campo-Formio*
T 15	12	**Piroques-de-Bercy** (des) *Cour St-Emilion*
O 9	1	**Pirouette** "Forum des Halles" *Châtelet-Les Halles*
R 7	11	**Piver** (imp.) *Belleville*
R 7	11	**Piver** (pass.) *Belleville*
U 7	20	**Pixérécourt** *Pte des Fêtes*
W 11	20	**Plaine** (de la) *Buzenval, Maraîchers*
K 15	14	**Plaisance** (de) *Pernety*
V 7	20	**Planchart** (pass.) *St-Fargeau*
V 11	20	**Planchat** *Avron, A.-Dumas*
P 8	3	**Planchette** (imp. de la) *Strasbourg-St-Denis*
T 14	12	**Planchette** (ruelle de la) *Dugommier*
L 15	14	**Plantes** (des) *Alésia*
K 15	14	**Plantes** (villa des) *Alésia*
T 7	20	**Plantin** (pass.) *Jourdain*
M 4	18	**Platanes** (villa des) *Blanche*
O 9	1	**Plat-d'Etain** (du) *Châtelet*
T 5	19	**Plateau** (pass. du) *Buttes-Chaumont*
T 6	19	**Plateau** (du) *Buttes-Chaumont*
J 14	15	**Platon** *Volontaires*
P 9	9	**Plâtre** (du) *Hôtel-de-Ville*
U 8	20	**Platrières** (des) *Ménilmontant*
F 13	15	**Plélo** (de) *Boucicaut*
U 13	12	**Pleyel** *Dugommier*
T 9	11	**Plichon** *Père-Lachaise*
J 14	15	**Plumet** *Volontaires*
L 13	14	**Poinsot** *Edgar-Quinet*
V 10	20	**Pointe** (sentier de la) *Buzenval*
Q 17	13	**Pointe-d'Ivry** (de la) *Pte de Choisy*
H 7	8	**Point-Show** (gal.) *F.-D.-Roosevelt*
H 13	16	**Poirier** (villa) *Volontaires*
Q 10	14	**Poirier-de-Narçay** *Pte d'Orléans*
L 10	7	**Poissonnerie** (imp. de la) *St-Paul*
O 7	2/9	**Poissonnière** (bd) *Bonne-Nouvelle, Grands-Boulevards*
O 7	2	**Poissonnière** *Bonne-Nouvelle*
O 4	18	**Poissonnière** (villa) *Barbès-Roch.*
O 3	18	**Poissonniers** (des) *Château-Rouge, Marcadet-Pois., Pte de la Chapelle*
P 11	5	**Poissy** (de) *Cardinal-Lemoine*
N 11	6	**Poitevins** (des) *St-Michel*
L 10	7	**Poitiers** (de) *Musée d'Orsay*
Q 9	9	**Poitou** (de) *St-Sébastien-Froissart*
N 2	18	**Pôle-Nord** (du) *Jules-Joffrin*
Q 13	10	**Poliveau** *St-Marcel*
D 7	16	**Pologne** (av. de) *Pte Dauphine*
P 4	18	**Polonceau** *Barbès-Roch.*
D 8	16	**Pomereu** (de) *Rue de la Pompe*
T 14	12	**Pommard** (de) *Cour St-Emilion*
D 9	16	**Pompe** (de la) *La Muette, Rue de la Pompe, Victor-Hugo*
O 8	2	**Ponceau** (pass. du) *Réaumur-Séb.*

plan	arr.	appellation	métro RER tramway
8	2	Ponceau (du)	Réaumur-Séb.
5	17	Poncelet (pass.)	Ternes
5	17	Poncelet	Ternes
15	15	Pondichéry (de)	La Motte-Picquet
15	12	Poniatowski (bd)	Pte de Charenton, Porte Dorée
16	13	Ponscarme	Olympiades
1	18	Pont-à-Mousson (de)	Pte de St-Ouen
9	3	Pont-aux-Biches (pass. du)	Temple
9	3	Pont-aux-Choux (du)	St-Sébastien-Froissart
J 7	6	Pont-de-Lodi (du)	Odéon
J 7	8	Ponthieu (de)	F.-D.-Roosevelt
12	4	Pont-Louis-Philippe (du)	Pont-Marie
12	15	Pont-Mirabeau (rd-pt de)	Javel
9	1	Pont-Neuf (pl. du)	Pont-Neuf
9	1	Pont-Neuf (du)	Pont-Neuf, Les Halles
9	1	Pont-Neuf (porte)	"Forum des Halles" Châtelet-Les Halles
11	5	Pontoise (de)	Maubert
S 9	11	Popincourt (cité)	St-Ambroise
S 9	11	Popincourt (imp.)	St-Ambroise
S 9	11	Popincourt	St-Ambroise
K 6	9	Poquelin	Châtelet-Les Halles
5	8	Portalis	St-Augustin
18	15	Port-au-Prince (pl. de)	Pte de Choisy
J 4	15	Pte-Brancion (av. de la)	Pte de Vanves
J 4	19	Pte-Brunet (av. de la)	Danube
J 3	13	Pte-Chaumont (av. de la)	Pte de Pantin
R 1	18/19	Pte-d'Aubervilliers (av. de la) Pte de la Chapelle	
12	16	Pte-d'Auteuil (av. de la)	Pte d'Auteuil
12	16	Pte-d'Auteuil (pl. de la)	Pte d'Auteuil
J 8	20	Pte-de-Bagnolet (av. de la)	Pte de Bagnolet
J 8	20	Pte-de-Bagnolet (pl. de la)	Pte de Bagnolet
F 4	17	Pte-de-Champerret (av. de la) Pte de Champerret	
E 4	17	Pte-de-Champerret (pl. de la) Pte de Champerret	
15	12	Pte-de-Charenton (av. de la) V 11 Pte de Charenton	
17	14	Pte-de-Châtillon (av. de la)	Pte d'Orléans
17	14	Pte-de-Châtillon (pl. de la)	Pte d'Orléans
18	13	Pte-de-Choisy (av. de la)	Pte de Choisy
2	17	Pte-de-Clichy (av. de la)	Pte de Clichy
M 1	18	Pte-de-Clignancourt (av. de la) Pte de Clignancourt	
M 1	18	Pte-de-la-Chapelle (av. de la) Pte de la Chapelle	
16	15	Pte-de-la-Plaine (av. de la)	Pte de Versailles
M 7	19	Pte-de-la-Villette (av. de la)	Pte de la Villette
M 7	20	Pte-de-Ménilmontant (av. de la)	St-Fargeau
M 1	18	Pte-de-Montmartre (av. de la) Pte de Clignancourt	
11	20	Pte-de-Montreuil (av. de la)	Pte de Montreuil
11	20	Pte-de-Montreuil (pl. de la)	Pte de Montreuil
17	14	Pte-de-Montrouge (av. de la)	Pte d'Orléans
J 3	19	Pte-de-Pantin (av. de la)	Pte de Pantin
J 3	19	Pte-de-Pantin (pl. de la)	Pte de Pantin
12	16	Pte-de-Passy (pl. de la)	Ranelagh
16	14	Pte-de-Plaisance (av. de la) Georges Brassens	
14	15	Pte-de-Sèvres (av. de la)	Balard
6	19/20	Pte-des-Lilas (av. de la)	Pte des Lilas
1	18	Pte-des-Poissonniers (av. de la) Pte de la Chapelle	
14	16	Pte-de-St-Cloud (av. de la)	Pte de St-Cloud
14	16	Pte-de-St-Cloud (pl. de la)	Pte de St-Cloud
5	17	Pte-des-Ternes (av. de la)	Pte Maillot
1	17/18	Pte-de-St-Ouen (av. de la)	Pte de St-Ouen

plan	arr.	appellation	métro RER tramway
H 16	14	Pte-de-Vanves (av. de la)	Pte de Vanves
H 16	14	Pte-de-Vanves (pl. de la)	Pte de Vanves
H 16	14	Pte-de-Vanves (sq. de la)	Pte de Vanves
F 15	15	Pte-de-Versailles (pl. de la)	Pte de Versailles
F 4	17	Pte-de-Villiers (av. de la)	Pte de Champerret
X 12	12/20	Pte-de-Vincennes (av. de la) Pte de Vincennes	
S 17	13	Pte-de-Vitry (av. de la)	Pte d'Ivry
J 16	14	Pte-Didot (av. de la)	Pte de Vanves
E 15	15	Pte-d'Issy (av. de la)	Pte de Versailles
Q 18	13	Pte-d'Italie (av. de la)	Pte d'Italie
R 17	13	Pte-d'Ivry (av. de la)	Pte d'Ivry
V 15	12	Pte-Dorée (villa de la)	Pte Dorée
L 17	14	Pte-d'Orléans (av. de la)	Pte d'Orléans
V 5	19	Pte-du-Pré-St-Gervais (av. de la) Pré-St-Gervais	
P 8	3	Portefoin	Arts-et-Métiers
E 6	17	Pte-Maillot (pl. de la)	Pte Maillot
A 12	16	Pte-Molitor (av. de la)	Michel-A.-Molitor
A 12	16	Pte-Molitor (pl. de la)	Pte d'Auteuil
K 1	17	Pte-Pouchet (av. de la)	Pte de St-Ouen
O 3	18	Portes-Blanches (des)	Marcadet-Pois.
M 7	2	Port-Mahon (de)	Quatre septembre
O 14	5/13/14	Port-Royal (bd de)	Les Gobelins, Port-Royal
N 14	13	Port-Royal (villa de)	Les Gobelins
N 14	14	Port-Royal (sq. de)	Port-Royal
F 7	16	Portugais (des)	Kléber
D 9	16	Possoz (pl.)	La Muette
O 13	13	Postes (pass. des)	Censier-Daubenton
O 13	13	Pot-de-Fer (du)	Place Monge
M 2	18	Poteau (pass. du)	Pte de Clignancourt
N 2	18	Poteau (du)	Jules-Joffrin
P 18	13	Poterne-des-Peupliers (de la)	Pte d'Italie
M 8	1	Potier (pass.)	Palais-Royal
R 3	19	Pottier (cité)	Crimée
K 2	17	Pouchet (pass.)	Pte de St-Ouen
K 2	17	Pouchet	Brochant, Pte de St-Ouen
N 4	18	Poulbot	Abbesses
O 4	20	Poule (imp.)	Avron
O 4	18	Poulet (du)	Château-Rouge
P 11	4	Pouletier	Pont-Marie
B 12	16	Poussin	Michel-A.-Auteuil
O 16	13	Pouy (du)	Corvisart
T 6	19	Pradier	Buttes-Chaumont
P 7	10	Prado (pass. du)	Strasbourg-St-Denis
S 11	12	Prague (de)	Ledru-Rollin
Q 2	18	Prairies (des)	Gambetta
T 6	18	Pré (du)	Pte de la Chapelle
T 6	19	Préault	Buttes-Chaumont
D 11	16	Pré-aux-Chevaux (du)	Av. du Pdt-Kennedy
L 10	7	Pré-aux-Clercs (du)	Rue du Bac
O 9	1	Prêcheurs (des)	Les Halles
C 10	16	Préfet Claude-Erignac (place)	Ranelagh
G 7	8/16	Presbourg (de)	Ch.-de-G.-Etoile
S 7	11	Présentation (de la)	Belleville
K 9	7	Président-Ed.-Herriot (av. du)	Ass. Nationale
F 10	16	Président-Kennedy (av. du)	Passy, Av. du Pdt-Kennedy
J 11	7	Président-Mithouard (pl. du) St-François-Xavier	
G 8	8/16	Président-Wilson (av. du)	Alma-Marceau, Iéna, Trocadéro
G 11	15	Presles (imp. de)	Dupleix
G 11	15	Presles (de)	Dupleix
T 7	20	Pressoir (du)	Couronnes
V 5	19	Pré-St-Gervais (du)	Pré-St-Gervais
E 8	16	Prêtres (imp. des)	Trocadéro
N 9	1	Prêtres-St-Germain-l'Auxerrois (des) Pont-Neuf	

plan	arr.	appellation	métro RER tramway
O 11	5	Prêtres-St-Séverin (des) *St-Michel*	
H 16	19	Prévost-Paradol *Pte de Vanves*	
Q 10	4	Prévôt (du) *St-Paul*	
U 4	19	Prévoyance (de la) *Danube*	
P 15	13	Primatice *Pl. d'Italie*	
R 10	11	Primevères (imp. des) *Chemin-Vert*	
S 15	13	Primo-Levi *Bibliothèque François Mitterrand*	
N 7	2	Princes (pass. des) *Richelieu-Drouot*	
M 11	6	Princesse *Mabillon*	
D 11	16	Pré-aux-Chevaux (du) *Av. du Pdt-Kennedy*	
J 4	17	Printemps (du) *Malesherbes*	
L 16	14	Prisse-d'Avennes (de) *Pte d'Orléans*	
J 14	15	Procession (de la) *Volontaires*	
X 10	20	Professeur-André-Lemierre (av. du) *Pte de Montreuil*	
D 14	15	Professeur-Florian-Delbarre *Bd Victor*	
O 1	18	Professeur-Gosset (du) *Pte de Clignancourt*	
L 17	14	Professeur-Hyacinthe-Vincent (du) *Pte d'Orléans*	
P 17	13	Professeur-Louis-Renault (du) *Pte d'Italie*	
U 5	12	Progrès (villa du) *Danube*	
H 5	17	Prony (de) *Monceau, Wagram, Pereire*	
K 5	17/18	Prosper-Goubaux (pl.) *Villiers*	
T 11	11	Prost (cité) *Charonne*	
U 14	12	Proudhon *Dugommier*	
N 9	2	Prouvaires (des) *Les Halles*	
M 6	9	Provence (av. de) *Chaussée-d'Antin*	
N 6	8/9	Provence (de) *Le Peletier, Chaussée-d'Antin, Havre-Caum.*	
L 6	9	Provence (pass. de) *Havre-Caumartin*	
V 10	20	Providence (pass. de la) *Buzenval*	
O 16	13	Providence (de la) *Corvisart*	
C 10	16	Prudhon (av.) *La Muette*	
U 8		Pruniers (des) *Père-Lachaise*	
M 4	18	Puget *Blanche*	
P 13	5	Puits-de-l'Ermite (pl. du) *Place Monge*	
P 13	5	Puits-de-l'Ermite (du) *Place Monge*	
J 4	17	Pusy (cité du) *Wagram*	
L 7	9	Puteaux (pass.) *Havre-Caum.*	
K 4	17	Puteaux (de) *Rome*	
P 10	4	Putigneux (imp.) *Pont-Marie*	
H 4	17	Puvis-de-Chavannes *Pereire*	
W 8	20	Py (de la) *Pte de Bagnolet*	
M 9	1	Pyramides (pl. des) *Tuileries*	
M 8	1	Pyramides (des) *Pyramides*	
V 9	20	Pyrénées (de) *Pte de Vincennes, Maraîchers, Gambetta, Jourdain, Pyrénées*	
W 11	20	Pyrénées (villa des) *Maraîchers*	
		Q	
P 7	10	Quarante-Neuf-Fg-St-Martin (imp. du) *Château d'Eau*	
P 17	13	Quarante-Quatre-Enfants-d'Izieu (pl. des) *Maison-Blanche*	
P 13	5	Quatrefages (de) *Place Monge*	
P 9	3	Quatre-Fils (des) *Rambuteau*	
E 12	15	Quatre-Frères-Peignot (des) *Charles-Michels*	
M 7	2	Quatre-Septembre (du) *Quatre septembre*	
N 11	6	Quatre-Vents (des) *Odéon*	
M 11	6	Québec (pl. du) *St-Germain-des-P.*	
R 11	11	Quellard (cour) *Ledru-Rollin*	
G 7	8	Quentin-Bauchart *George-V*	
W 11	20	Quercy (sq. du) *Pte de Montreuil*	
S 8	11	Questre (imp.) *Couronnes*	
G 12	15	Quinault *Commerce*	
O 9	3/4	Quincampoix *Rambuteau*	
		R	
J 7	8	Rabelais *F.-D.-Roosevelt*	
B 11	16	Racan (sq.) *Pte d'Auteuil*	
M 4	18	Rachel (av.) *Blanche*	
B 13	16	Racine (imp.) *Michel-A.-Molitor*	
N 11	6	Racine *Odéon*	
N 8	2	Radziwill *Bourse*	
A 13	16	Raffaëlli *Exelmans*	
C 11	15	Raffet (imp.) *Jasmin*	
C 11	15	Raffet *Jasmin*	
S 12	12	Raguinot (pass.) *Gare de Lyon*	
W 13	12	Rambervillers (de) *Bel-Air*	
S 13	12	Rambouillet (de) *Reuilly-Diderot*	
P 9	1/3/4	Rambuteau *Rambuteau, Les Halles*	
O 9	1	Rambuteau (porte) *"Forum des Halles" Châtelet-Les Halles*	
M 8	2	Rameau *Quatre septembre*	
O 3	18	Ramey (pass.) *Marcadet-Pois.*	
O 4	18	Ramey *Château-Rouge, J.-Joffrin*	
S 6	19	Rampal *Belleville*	
R 8	11	Rampon *Oberkampf*	
S 7	19	Ramponeau *Belleville*	
V 9	20	Ramus *Gambetta*	
V 10	20	Rançon (imp.) *Buzenval*	
C 10	16	Ranelagh (av. du) *La Muette*	
E 11	16	Ranelagh (du) *Av. du Pdt-Kennedy, Ranelagh*	
C 10	16	Ranelagh (sq. du) *Ranelagh*	
U 14	12	Raoul *Daumesnil*	
K 13	15	Raoul-Dautry (pl.) *Montparnasse-B.*	
U 8		Raoul-Dufy *Gambetta*	
Q 6	10	Raoul-Follereau (pl.) *Gare de l'Est*	
W 5	19	Raoul-Wallenberg *Porte des Lilas*	
R 13	12	Rapée (port de la) *Gare de lyon*	
R 13	12	Rapée (q. de la) *Gare de Lyon, Quai de la Rap...*	
C 9	16	Raphaël (av.) *La Muette*	
H 9	7	Rapp (av.) *Pont de l'Alma*	
H 10	7	Rapp (sq.) *Pont de l'Alma*	
L 12	6/7/14	Raspail (bd) *Rue du Bac, Sèvres-Babylone, Rennes, N.-D.-des-Champs, Vavin, Raspail, Denfert-Roch.*	
W 10	20	Rasselins (des) *Pte de Montreuil*	
O 13	13	Rataud *Censier-Daubenton*	
S 10	11	Rauch (pass.) *Ledru-Rollin*	
R 8	18	Ravignan *Abbesses*	
T 14	13	Raymond-Aron *Quai de la Gare*	
K 14	14	Raymond-Losserand *Gaîté, Pernety, Plaisance, Pte de Vanves*	
G 3	17	Raymond-Pitet *Pereire*	
F 8	16	Raymond-Poincaré (av.) *Trocadéro, Victor-Hugo*	
Q 2	18	Raymond-Queneau *Pte de la Chapelle*	
R 3	19	Raymond-Radiguet *Crimée*	
E 10	16	Raynouard *Passy, Av. du Pdt-Kennedy*	
E 10	16	Raynouard (sq.) *Passy*	
O 9	1	Réale (pass. de la) *"Forum des Halles" Châtelet-Les Halles*	
P 8	2/3	Réaumur *Arts-et-Métiers, Réaumur-Séb., Sentier*	
T 6	19	Rébeval *Belleville, Pyrénées*	
L 11	7	Récamier *Sèvres-Babylone*	
P 6	10	Récollets (pass. des) *Gare de l'Est*	
Q 6	10	Récollets (des) *Gare de l'Est*	
D 11	16	Recteur-Poincaré (av. du) *Jasmin*	
O 15	13	Reculettes (des) *Pl. d'Italie*	
H 3	17	Redon *Pereire*	
F 10	16	Refuzniks (all. des) *Champ de Mars*	
L 12	6	Regard (du) *St-Placide*	
L 12	6	Régis *St-Placide*	
W 10	20	Réglises (des) *Pte de Montreuil*	
N 11	6	Regnard *Odéon*	
R 17	13	Regnault *Pte d'Ivry, Bibliothèque François Mitterrand*	

plan	arr.	appellation	métro RER tramway
P 7	10	Reilhac (pass.) *Château-d'Eau*
16	14	Reille (av.) *Glacière*
16	14	Reille (imp.) *Glacière*
G 3	17	Reims (bd de) *Pte de Champerret*
16	13	Reims (de) *Bibliothèque François Mitterrand*
K 8	8	Reine (cours la) *Ch.-Élysées-C.*
H 8	8	Reine-Astrid (pl. de la) *Alma-Marceau*
J 6	13	Reine-Blanche (de la) *Les Gobelins*
D 8	1	Reine-de-Hongrie (pass. de la) *Les Halles*
J 6	8	Rembrandt *Monceau*
S 4	19	Rémi-Belleau (villa) *Laumière*
16	12	Rémusat (de) *Mirabeau*
S 6	19	Remy-de-Gourmont *Bolívar*
16	14	Remy-Dumoncel *Alésia*
H 8	8	Renaissance (de la) *Alma-Marceau*
J 5	19	Renaissance (villa de la) *Danube*
P 9	4	Renard (du) *Hôtel-de-Ville*
G 5	17	Renaudes (des) *Ternes*
12	12	Rendez-Vous (cité du) *Picpus*
12	12	Rendez-Vous (du) *Picpus*
16	16	René-Bazin *Jasmin*
N 1	18	René-Binet *Pte de Clignancourt*
Q 8	10	René-Boulanger *République*
16	16	René-Boylesve (av.) *Passy*
11	5	René-Capitant (promenade) *St-Michel-Notre-Dame*
J 9	10	René-Cassin (pl.) *Château-Landon*
P 8	7	René-Char (pl.) *Rue du Bac*
14	14	René-Coty (av.) *Denfert-Roch., Mouton-Duvernet, Alésia*
V 5	19	René-Fonck (av.) *Pte des Lilas*
13	13	René-Goscinny *Bibliothèque François Mitterrand*
14	13	René-Panhard *St-Marcel*
14	15	René-Ravaud *Bd Victor*
T 9	11	René-Villermé *Père-Lachaise*
P 9	16	Renée-Vivien (villa) *Rambuteau*
G 5	17	Rennequin *Ternes*
11	6	Rennes (de) *St-Germain, St-Sulpice, St-Placide, Montparnasse-B.*
	20	Repos (du) *Philippe-Auguste*
T 9	11	République (av. de la) *République, Parmentier, Rue St-Maur, Père-Lachaise*
Q 8	3/10	**République**
H 5	11	(pl. de la) *République*
	8/17	République-de-l'Équateur (pl. de la) *Courcelles*
12		République de Panama (pl. de la) *Sèvres-Lecourbe*
J 5	8/17	République-Dominicaine (pl. de la) *Monceau*
16	13	Résal *Bibliothèque François Mitterrand*
H 9	7	Résistance (pl. de la) *Pont de l'Alma*
K 7	8	Retiro (cité du) *Madeleine*
J 7	20	Retrait (pass. du) *Gambetta*
J 8	20	Retrait (du) *Gambetta*
12	12	Reuilly (bd de) *Dugommier, Daumesnil*
13	12	Reuilly (de la) *Faidherbe-Chal., Reuilly-Diderot, Montgallet, Daumesnil*
11	20	Réunion (de la) *A.-Dumas*
11	20	Réunion (de la) *Maraîchers, A.-Dumas*
11	6	Révérend Père Michel Riquet (allée du) *St-Sulpice, Mabillon*
	20	Reynaldo-Hahn *Pte de Montreuil*
T 4	19	Rhin (du) *Laumière*
J 5	19	Rhin-et-Danube (place) *Danube*
G 3	17	Rhône (sq. du) *Pereire*
16		Ribéra *Jasmin*
11	10	Ribérolle (villa) *A.-Dumas*
12	15	Ribet (pass.) *Cambronne*

plan	arr.	appellation	métro RER tramway
W 9	20	Riblette *Pte de Bagnolet*
S 8	11	Ribot (cité) *Couronnes*
O 6	9	Ribouté *Cadet*
Q 16	13	Ricaut *Pl. d'Italie*
H 15	15	Richard (imp.) *Plaisance*
K 4	17	Richard-Baret (pl.) *Rome*
G 7	16	Richard-de-Coudenhove-Kalergi (pl.) *Kléber*
R 10	11	Richard-Lenoir (bd) *Bastille, Bréguet-Sabin, Richard-Lenoir, Oberkampf*
T 10	11	Richard-Lenoir *Voltaire*
M 8	1	Richelieu (pass. de) *Palais-Royal*
N 7	1/2	Richelieu (de) *Palais-Royal, Bourse, Richelieu-Drouot*
R 16	13	Richemont (de) *Olympiades*
O 6	9	Richer *Cadet*
Q 7	9	Richerand (av.) *Goncourt*
O 4	18	Richomme *Château-Rouge*
J 15	14	Ridder (de) *Plaisance*
U 13	12	Riesener *Montgallet*
V 6	19	Rigaudes (imp. des) *Télégraphe*
K 6	8	Rigny (de) *St-Augustin*
U 7	20	Rigoles (des) *Jourdain*
T 5	19	Rimbaud (villa) *Danube*
L 16	14	Rimbaud (pass.) *Alésia*
Q 2	13	Rimski-Korsakov (all.) *Marx-Dormoy*
J 6	19	Rio-de-Janeiro (de) *Monceau*
S 3	18/19	Riquet *Riquet, Marx-Dormoy*
P 7	18/19	Riverin (cité) *Strasbourg-St-Denis*
P 10	1/4	Rivoli (de) *St-Paul, Hôtel-de-Ville, Châtelet, Louvre, Palais-Royal, Tuileries, Concorde*
N 2	18	Robert (imp.) *Pte de Clignancourt*
S 16	13	Robert-Antelme (pl.) *Bibliothèque François Mitterrand*
Q 6	10	Robert-Blache *Château-Landon*
E 11	10	Robert-de-Flers *Charles-Michels*
R 6	11	Robert-Desnos (pl.) *Colonel-Fabien*
R 16	13	Robert-Doisneau (villa) *Olympiades*
J 9	7	Robert-Esnault-Pelterie *Invalides*
H 7	8	Robert-Estienne *F.-D.-Roosevelt*
U 10	11	Robert-et-Sonia-Delaunay *A.-Dumas*
H 13	15	Robert-Fleury *Cambronne*
E 14	15	Robert-Guillemard (pl.) *Balard*
S 7	20	Robert-Houdin *Belleville*
D 10	16	Robert-Le-Coin *Ranelagh*
G 15	15	Robert-Lindet *Convention*
G 15	15	Robert-Lindet (villa) *Convention*
M 4	18	Robert-Planquette *Blanche*
J 9	7	Robert-Schuman (av.) *Invalides*
C 11	16	Robert-Turquan *Jasmin*
K 2	17	Roberval *Guy-Môquet*
H 10	20	Robiac (sq. de) *Latour-Maub.*
U 8	20	Robineau *Gambetta*
L 13	15	Robiquet (imp.) *Montparnasse-B.*
B 11	16	Rocamadour (sq. de) *Pte d'Auteuil*
G 8	8	Rochambeau (sq.) *Iéna*
O 6	9	Rochambeau *Cadet*
S 9	11	Rochebrune (pass.) *Rue St-Maur*
S 9	11	Rochebrune *Voltaire*
O 4	9/18	Rochechouart (bd) *Barbès-Roch., Anvers, Pigalle*
O 5	9	Rochechouart (de) *Cadet, Anvers*
K 6	8	Rocher (du) *St-Lazare, Europe, Villiers*
O 5	9	Rocroy (de) *Gare du Nord*
N 15	14	Rodenbach (allée) *St-Jacques*
N 5	9	Rodier *Anvers*
D 9	16	Rodin (av.) *Rue de la Pompe*
C 11	16	Rodin (pl.) *Jasmin*

plan	arr.	appellation	métro RER tramway
L 14	14	**Roger** *Denfert-Roch.*	
F 5	17	**Roger-Bacon** *Pte de Champerret*	
W 10	20	**Roger-Bissière** *Maraîchers*	
Q 10	4	**Roger-Priou-Valjean** (pl.) *Pont-Marie*	
N 11	3	**Roger-Verlomme** *Chemin-Vert*	
M 9	1	**Rohan** (cour de) *Odéon*	
O 2	18	**Roi-d'Alger** (pass. du) *Simplon*	
O 2	18	**Roi-d'Alger** (du) *Simplon*	
Q 10	4	**Roi-de-Sicile** (du) *St-Paul*	
Q 9	3	**Roi-Doré** (du) *St-Sébastien-Froissart*	
O 8	2	**Roi-François** (cour du) *Réaumur-Séb.*	
S 13	12	**Roland-Barthès** *Gare de Lyon*	
N 3	18	**Roland-Dorgelès** (carr.) *Lamarck-Caul.*	
W 8	20	**Roland-Garros** (sq.) *Pelleport*	
N 17	14	**Rollebois** (imp.) *Avron*	
V 11	11	**Rollebois** (imp.) *Avron*	
O 12	5	**Rollin** *Place Monge*	
G 15	15	**Romain-Gary** *Georges Brassens*	
N 4	14	**Romain-Rolland** (bd) *Pte d'Orléans*	
V 6	19	**Romainville** (de) *Télégraphe*	
P 8	3	**Rome** (cour de) *Arts-et-Métiers*	
L 6	8	**Rome** (cour de) *St-Lazare*	
L 6	8/17	**Rome** (de) *St-Lazare, Europe, Rome*	
U 8	20	**Rondeaux** (pass. des) *Gambetta*	
V 9	20	**Rondeaux** (des) *Gambetta*	
T 12	12	**Rondelet** *Reuilly-Diderot*	
V 9	20	**Rondonneaux** (des) *Gambetta*	
T 3	19	**Rond Point des Canaux** (pl. du) *Ourcq*	
N 4	18	**Ronsard** *Anvers*	
J 13	15	**Ronsin** (imp.) *Pasteur*	
K 7	8	**Roquépine** *St-Augustin*	
R 10	11	**Roquette** (cité de la) *Bastille*	
S 10	11	**Roquette** (de la) *Bastille, Voltaire, Philippe-Auguste*	
J 12	15	**Rosa-Bonheur** *Sèvres-Lecourbe*	
H 15	15	**Rosenwald** *Plaisance*	
Q 2	18	**Roses** (des) *Marx-Dormoy*	
Q 2	18	**Roses** (villa des) *Marx-Dormoy*	
F 12	15	**Rosière** (de la) *Charles-Michels*	
Q 10	4	**Rosiers** (des) *St-Paul*	
P 18	20	**Rosny-Aîné** (sq.) *Pte d'Italie*	
N 7	9	**Rossini** *Richelieu-Drouot*	
L 3	18	**Rothschild** (imp.) *La Fourche*	
T 2	19	**Rotonde** (esplanade de la) *Pte de la Villette*	
O 9	1	**Rotonde** (pl. de la) "Forum des Halles" *Châtelet-Les Halles*	
N 11	3	**Rotrou** *Odéon*	
W 14	12	**Rottembourg** *Michel-Bizot*	
P 5	17	**Roubaix** (pl. de) *Gare du Nord*	
T 11	11	**Roubo** *Faidherbe-Chal.*	
F 11	15	**Rouelle** *Dupleix*	
R 4	19	**Rouen** (de) *Riquet*	
L 16	14	**Rouet** (imp. du) *Alésia*	
O 7	9	**Rougemont** (cité) *Grands-Boulevards*	
O 7	9	**Rougemont** *Grands-Boulevards*	
L 8	1	**Rouget-de-l'Isle** *Concorde*	
N 9	1	**Roule** (du) *Louvre*	
G 6	8	**Roule** (sq. du) *Ternes*	
K 12	7	**Rousselet** *Vaneau*	
T 2	19	**Rouvet** *Corentin-Cariou*	
B 12	16	**Rouvray** (av. de) *Michel-A.-Molitor*	
G 5	17	**Roux** (pass.) *Ternes*	
K 6	8	**Roy** *St-Augustin*	
L 8	1/7	**Royal** (pt) *Musée d'Orsay*	
L 7	8	**Royale** *Concorde, Madeleine*	
K 8	8	**Royale** (gal.) *Concorde*	
N 12	5	**Royer-Collard** (imp.) *Luxembourg*	
N 12	5	**Royer-Collard** *Luxembourg*	

plan	arr.	appellation	métro RER tramway
P 15	13	**Rubens** *Pl. d'Italie*	
F 6	17	**Rude** *Ch.-de-G.-Étoile*	
H 3	17	**Rudolf-Noureev** *Pte de Clichy*	
P 4	18	**Ruelle** (pass.) *La Chapelle*	
E 5	17	**Ruhmkorff** *Pte Maillot*	
N 2	18	**Ruisseau** (du) *Lamarck-Caul., Pte de Clignancourt*	
U 7	20	**Ruisseau de Ménilmontant** (pass. du) *Gambetta*	
O 13	13	**Rungis** (pl. de) *Cité Universitaire*	
O 17	13	**Rungis** (de) *Cité Universitaire*	
S 13	12	**Rutebeuf** (pl.) *Gare de Lyon*	
J 6	16	**Ruysdaël** (av.) *Monceau*	

S

L 15	14	**Sablière** (de la) *Pernety*	
E 8	16	**Sablons** (des) *Trocadéro*	
E 5	17	**Sablonville** (de) *Pte Maillot*	
M 11	6	**Sabot** (du) *St-Sulpice*	
N 4	18	**Sacré-Cœur** (du) *Anvers*	
U 5	19	**Sadi-Carnot** (villa) *Danube*	
R 5	19	**Sadi-Lecointe** *Bolivar*	
W 13	12	**Sahel** (du) *Bel-Air*	
W 13	12	**Sahel** (villa du) *Bel-Air*	
E 7	16	**Saïd** (villa) *Pte Dauphine*	
G 15	15	**Saïda** (de la) *Georges Brassens*	
F 6	16	**Saïgon** (de) *Argentine*	
L 15	14	**Saillard** *Mouton-Duvernet*	
L 17	14	**St-Alphonse** (imp.) *Pte d'Orléans*	
H 14	15	**St-Amand** *Plaisance*	
S 9	11	**St-Ambroise** (pass.) *St-Ambroise*	
S 9	11	**St-Ambroise** *St-Ambroise*	
N 11	6	**St-André-des-Arts** (pl.) *St-Michel*	
N 11	6	**St-André-des-Arts** *St-Michel*	
L 12	17	**St-Ange** (pass.) *Pte de St-Ouen*	
L 2	17	**St-Ange** (villa) *Pte de St-Ouen*	
S 11	11	**St-Antoine** (pass.) *Ledru-Rollin*	
Q 11	4	**St-Antoine** *Bastille, St-Paul*	
K 6	8	**St-Augustin** (pl.) *St-Augustin*	
M 7	2	**St-Augustin** *Quatre septembre*	
M 10	6	**St-Benoît** *St-Germain-des-P*	
S 11	11	**St-Bernard** (pass.) *Ledru-Rollin*	
Q 12	5	**St-Bernard** (q.) *Gare d'Austerlitz, Jussieu*	
T 11	11	**St-Bernard** *Faidherbe-Chal.*	
W 9	20	**St-Blaise** (pl.) *Gambetta*	
W 10	20	**St-Blaise** *Pte de Montreuil*	
O 10	4	**St-Bon** *Hôtel-de-Ville*	
P 4	18	**St-Bruno** *La Chapelle*	
E 12	15	**St-Charles** (villa) *Charles-Michels*	
F 12	15	**St-Charles** (pl.) *Charles-Michels*	
E 13	15	**St-Charles** (rd-pt) *Charles-Michels*	
E 12	15	**St-Charles** *Dupleix, Charles-Michels, Lourmel, Balard*	
U 12	12	**St Charles** (sq.) *Reuilly-Diderot*	
S 6	19	**St-Chaumont** (cité) *Belleville*	
E 12	15	**St-Christophe** *Javel*	
Q 9	3	**St-Claude** (imp.) *St-Sébastien-Froissart*	
Q 9	3	**St-Claude** *St-Sébastien-Froissart*	
P 7	2/3/10	**St-Denis** (bd) *Strasbourg-St-Denis*	
O 8	2	**St-Denis** (imp.) *Réaumur-Séb.*	
P 7	2/10	**St-Denis** (porte) *Strasbourg-St-Denis*	
O 9	1/2	**St-Denis** *Châtelet, Etienne-Marcel, Réaumur-Séb., Strasbourg-St-Denis*	
E 8	16	**St-Didier** *Victor-Hugo*	
J 9	7	**St-Dominique** *Solférino, Invalides, Latour-Mau., Pt de l'Alma*	
N 4	18	**St-Eleuthère** *Abbesses*	
T 12	12	**St-Éloi** (pass.) *Reuilly-Diderot*	
T 15	12	**St-Émilion** (cour) *Cour St-Emilion*	
T 15	12	**St-Émilion** (pass.) *Cour St-Emilion*	

42

n	arr.	appellation	métro RER tramway
	12	St-Estèphe (place)	*Cour St-Émilion*
	11	St-Esprit (cour du)	*Ledru-Rollin*
	5	St-Étienne-du-Mont	*Cardinal-Lemoine*
	1	St-Eustache (imp.)	*Les Halles*
	1	St-Eustache (balc. et pte) "Forum des Halles"	*Châtelet-Les Halles*
	16	St-Exupéry (q.)	*Pte de St-Cloud*
	20	St-Fargeau (pl.)	*St-Fargeau*
	20	St-Fargeau	*St-Fargeau*
	20	St-Fargeau (villa)	*St-Fargeau*
	17	St-Ferdinand (pl.)	*Pte Maillot*
	17	St-Ferdinand	*Pte Maillot*
	4	St-Fiacre (imp.)	*Châtelet*
	2	St-Fiacre	*Grands-Boulevards*
	1/8	St-Florentin	*Concorde*
	18	St-François (imp.)	*Pte de Clignancourt*
	9	St-Georges (pl.)	*St-Georges*
	9	St-Georges	*N.-D.-de-Lorette, St-Georges*
	5/6/7	St-Germain (bd)	*Maubert-Mutualité, Cluny, Odéon, Mabillon, St-Germain-des-P., Rue du Bac, Solférino, Ass. Nationale*
	6	St-Germain-des-Prés (pl.)	*St-Germain-des-P.*
	1	St-Germain-l'Auxerrois	*Pont-Neuf*
	4	St-Gervais (pl.)	*Hôtel-de-Ville*
	3	St-Gilles	*Chemin-Vert*
	14	St-Gothard (du)	*St-Jacques*
	7	St-Guillaume	*Rue du Bac*
	13	St-Hippolyte	*Les Gobelins*
	1/8	St-Honoré	*Louvre, Palais-Royal, Tuileries, Madeleine*
	16	St-Honoré-d'Eylau (av.)	*Victor-Hugo*
	11	St-Hubert	*Rue St-Maur*
	1	St-Hyacinthe (sq.)	*St-Ambroise*
	11	St-Irénée (sq.)	*St-Ambroise*
	14	St-Jacques (bd)	*Glacière, St-Jacques*
	14	St-Jacques (pl.)	*St-Jacques*
	5	St-Jacques	*Cluny, Luxembourg, Port-Royal*
	14	St-Jacques (villa)	*St-Jacques*
	17	St-Jean (pl.)	*La Fourche*
	17	St-Jean	*La Fourche*
	6	St-Jean-Baptiste-de-la-Salle	*Vaneau*
	18	St-Jérôme (pl.)	*La Chapelle*
	1	St-John-Perse (all.)	*Les Halles*
	11	St-Joseph (cour)	*Ledru-Rollin*
	2	St-Joseph	*Sentier*
	18	St-Jules (pass.)	*Pte de Clignancourt*
	5	St-Julien-le-Pauvre	*St-Michel*
	17	St-Just	*Pte de Clichy*
	15	St-Lambert	*Convention*
	10	St-Laurent	*Gare de l'Est*
	8/9	St-Lazare	*N.-D.-de-Lorette, Trinité*
	4	St-Louis (cour)	*Bastille*
	4	St-Louis (pt)	*Pont-Marie*
	4	St-Louis-en-l'Ile	*Pont-Marie*
	18	St-Luc	*Barbès-Roch.*
	12	St-Mandé (av. de)	*Nation, Picpus, Pte de Vincennes*
	12	St-Mandé (villa de)	*Picpus*
	2	St-Marc (gal.)	*Grands-Boulevards*
	2	St-Marc	*Richelieu-Drouot*
	3	St-Marceaux (de)	*Pereire*
	5/13	St-Marcel (bd)	*St-Marcel, Les Gobelins*
	3/10	St-Martin (bd)	*République*
	10	St-Martin (cité)	*Château-d'Eau*
	3/10	St-Martin (porte)	*Strasbourg-St-Denis*
	3/4	St-Martin	*Châtelet, Rambuteau, Réaumur-Séb., Strasbourg-St-Denis*
	18	St-Mathieu	*La Chapelle*
	11	St-Maur (pass.)	*Rue St-Maur*

plan	arr.	appellation	métro RER tramway
S 8	10/11	St-Maur	*Voltaire, Rue St-Maur, Goncourt*
O 13	5	St-Médard	*Place Monge*
P 9	4	St-Merri	*Hôtel-de-Ville*
N 11	5/6	St-Michel (bd)	*St-Michel, Cluny, Luxembourg, Port-Royal*
L 3	17	St-Michel (pass.)	*La Fourche*
N 11	5/6	St-Michel (pl.)	*St-Michel*
N 10	1/4/ 5/6	St-Michel (pt)	*St-Michel*
O 11	5	St-Michel (q.)	*St-Michel*
L 3	18	St-Michel (villa)	*La Fourche*
T 11	19	St-Nicolas (cour)	*Faidherbe-Chal.*
R 11	12	St-Nicolas	*Ledru-Rollin*
L 2	17/18	St-Ouen (av. de)	*La Fourche, Guy-Môquet, Pte de St-Ouen*
L 2	17	St-Ouen (imp. de)	*Guy-Môquet*
V 10	4	St-Paul (imp.)	*Maraîchers*
Q 10	4	St-Paul (pass.)	*St-Paul*
Q 11	4	St-Paul	*St-Paul*
M 10	6/7	Sts-Pères (des)	*Sèvres-Babylone*
M 10	6/7	Sts-Pères (port des)	*Musée d'Orsay*
L 5	8	St-Petersbourg	*Europe, Pl. de Clichy*
O 7	2	St-Philippe	*Sentier*
J 7	8	St-Phillipe-du-Roule (pass.)	*St-Philippe-du-R.*
J 7	8	St-Phillipe-du-Roule	*St-Philippe-du-R.*
L 4	17	St-Pierre (cour)	*La Fourche*
V 10	20	St-Pierre (imp.)	*Buzenval*
N 4	18	St-Pierre (pl.)	*Anvers*
R 9	11	St-Pierre-Amelot (pass.)	*Oberkampf*
L 12	6	St-Placide	*St-Placide*
P 5	10	St-Quentin (de)	*Gare du Nord*
M 8	1	St-Roch (pass.)	*Pyramides*
M 8	1	St-Roch	*Pyramides*
K 12	6	St-Romain	*Vaneau*
K 12	6	St-Romain (sq.)	*Vaneau*
N 4	18	St-Rustique	*Abbesses*
R 10	11	St-Sabin (pass.)	*Bréguet-Sabin*
R 10	11	St-Sabin	*Bréguet-Sabin, St-Sébastien-Froissart*
F 11	15	St-Saëns	*Bir-Hakeim*
O 8	2	St-Sauveur	*Réaumur-Séb.*
R 9	11	St-Sébastien (imp.)	*St-Sébastien-Froissart*
R 9	11	St-Sébastien (pass.)	*St-Sébastien-Froissart*
R 9	11	St-Sébastien	*St-Sébastien-Froissart*
G 5	17	St-Senoch (de)	*Ternes*
O 11	5	St-Séverin	*St-Michel*
L 10	7	St-Simon (de)	*Rue du Bac*
V 7	20	St-Simoniens (pass.)	*Télégraphe*
O 8	2	St-Spire	*Réaumur-Séb.*
M 11	6	St-Sulpice (pl.)	*St-Sulpice*
M 11	6	St-Sulpice	*Odéon*
L 10	7	St-Thomas-d'Aquin (pl.)	*Rue du Bac*
L 10	7	St-Thomas-d'Aquin	*Rue du Bac*
O 12	5	St-Victor	*Cardinal-Lemoine*
T 6	19	St-Vincent (imp.)	*Buttes-Chaumont*
N 3	18	St-Vincent	*Lamarck-Caul.*
P 5	10	St-Vincent-de-Paul	*Gare du Nord*
T 15	12	St-Vivant (pass.)	*Cour St-Émilion*
N 4	14	St-Yves	*Alésia*
R 9	11	Ste-Anastase	*St-Sébastien-Froissart*
M 8	2	Ste-Anne (pass.)	*Quatre septembre*
M 8	1/2	Ste-Anne	*Quatre septembre*
R 10	11	Ste-Anne-Popincourt (pass.)	*Bréguet-Sabin*
P 7	2/3	Ste-Apolline	*Strasbourg-St-Denis*
P 9	3	Ste-Avoie (pass.)	*Rambuteau*
L 13	6	Ste-Beuve	*N.-D.-des-Champs*
O 7	9	Ste-Cécile	*Grands-Boulevards*
T 13	12	Ste-Claire-Deville	*Montgallet*
L 2	17	Ste-Croix (villa)	*Guy-Môquet*

plan	arr.	appellation	métro RER tramway
P 10	4	Ste-Croix-de-la-Bretonnerie	*Hôtel-de-Ville*
P 10	4	Ste-Croix-de-la-Bretonnerie (sq.)	*Hôtel-de-Ville*
Q 8	3	Ste-Élisabeth (pass.)	*Temple*
Q 8	3	Ste-Élisabeth	*Temple*
G 14	15	Ste-Eugénie (av.)	*Convention*
H 14	15	Ste-Félicité	*Vaugirard*
O 8	2	Ste-Foy (pass.)	*Strasbourg-St-Denis*
O 7	2	Ste-Foy	*Strasbourg-St-Denis*
O 12	5	Ste-Geneviève (pl.)	*Cardinal-Lemoine*
P 18	13	Ste-Hélène (de)	*Pte d'Italie*
N 2	18	Ste-Henriette (imp.)	*Pte de Clignancourt*
N 2	18	Ste-Isaure	*Jules-Joffrin*
K 15	14	Ste-Léonie (imp.)	*Pernety*
E 12	15	Ste-Lucie	*Charles-Michels*
X 14	12	Ste-Marie (av.)	*Pte Dorée*
W 7	20	Ste-Marie (villa)	*St-Fargeau*
R 6	10	Ste-Marthe (pl.)	*Belleville*
R 6	10	Ste-Marthe (imp.)	*Belleville*
R 6	10	Ste-Marthe	*Belleville*
L 2	18	Ste-Monique (imp.)	*Guy-Môquet*
O 9	1	Ste-Opportune (pl.)	*Châtelet*
O 9	1	Ste-Opportune	*Châtelet*
Q 8	3	Saintonge (de)	*Filles-du-Calvaire*
W 10	20	Saint-Mandé (sq. de la)	*Maraîchers*
R 10	11	Salarnier (pass.)	*Bréguet-Sabin*
O 11	5	Salembrière (imp.)	*St-Michel*
J 4	17	Salneuve	*Villiers*
P 8	3	Salomon-de-Caus	*Strasbourg-St-Denis*
E 5	17	Salonique (av. de)	*Pte Maillot*
J 10	7	Salvador-Allende (pl.)	*Latour-Maub.*
R 6	10	Sambre-et-Meuse (de)	*Colonel-Fabien*
O 16	13	Samson	*Corvisart*
M 16	14	Samuel-Beckett (allée)	*Alésia, Mouton-Duvernet*
V 15	12	Sancerrois (sq. du)	*Pte de Charenton*
L 7	9	Sandrié (imp.)	*Auber*
N 14	13	Santé (imp. de la)	*Glacière*
N 14	13/14	Santé (de la)	*Port-Royal, Glacière*
V 13	12	Santerre	*Bel-Air*
P 13	5	Santeuil	*Censier-Daubenton*
J 10	7	Santiago-du-Chili (pl.)	*Latour-Maub.*
H 15	15	Santos-Dumont	*Plaisance*
H 15	15	Santos-Dumont (villa)	*Plaisance*
L 16	14	Saône (de la)	*Alésia*
F 13	15	Sarasate	*Boucicaut*
M 16	14	Sarrette	*Alésia*
V 10	20	Satan (imp.)	*Maraîchers*
K 3	17	Sauffroy	*Brochant*
U 10	20	Saulaie (villa de la)	*A.-Dumas*
N 3	18	Saules (des)	*Lamarck-Caul.*
N 6	9	Saulnier	*Cadet*
K 7	8	Saussaies (pl. des)	*Miromesnil*
K 7	8	Saussaies (des)	*Miromesnil*
G 5	17	Saussier-Leroy	*Ternes*
K 4	17	Saussure (de)	*Villiers*
N 9	1	Sauval	*Louvre*
V 10	20	Savart (pass.)	*Buzenval*
U 7	20	Savies (de)	*Jourdain*
N 10	6	Savoie (de)	*St-Michel*
H 10	7	Savorgnan-de-Brazza	*École-Militaire*
J 12	7/15	Saxe (av. de)	*Sèvres-Lecourbe*
J 11	7	Saxe (villa de)	*Ségur*
R 10	11	Scarron	*Chemin-Vert*
E 9	16	Scheffer (de)	*Rue de la Pompe*
E 9	16	Scheffer (villa)	*Rue de la Pompe*
Q 12	4	Schomberg (de)	*Sully-Morland*
X 11	12	Schubert	*Pte de Montreuil*
F 11	15	Schutzenberger	*Dupleix*
P 14	5	Scipion	*Les Gobelins*
M 7	9	Scribe	*Opéra*
L 10	7	Sébastien-Bottin	*Rue du Bac*
E 13	19	Sébastien-Mercier	*Javel*
P 8	1/2	Sébastopol (bd de)	*Châtelet, Étienne-Marcel, Réaumur-Séb., Strasbourg-St-Denis*
S 5	19	Secrétan (av.)	*Jean-Jaurès, Bolivar*
G 12	15	Sécurité (pass.)	*La Motte-Picquet*
S 10	11	Sedaine (cour)	*Bréguet-Sabin*
S 10	11	Sedaine	*Bréguet-S., Voltaire*
H 10	7	Sedillot	*Pt de l'Alma*
H 10	7	Sedillot (sq.)	*Pt de l'Alma*
N 11	6	Séguier	*St-Michel*
J 11	7/15	Ségur (av. de)	*St-François-Xavier, Ségur*
J 11	7	Ségur (villa de)	*Ségur*
S 3	19	Seine (q. de la)	*Stalingrad, Riquet*
M 11	6	Seine (de)	*Odéon*
J 8	8	Selves (av. de)	*Ch.-Élysées-C.*
M 11	6	Séminaire (all. du)	*St-Sulpice*
T 7	20	Sénégal (du)	*Couronnes*
G 4	17	Senlis (de)	*Pte de Champerret*
O 7	2	Sentier (du)	*Sentier*
K 14	14	Séoul (pl. de)	*Pernety*
V 3	19	Sept-Arpents (des)	*Hoche*
T 5	19	Septième Art (cours du)	*Botzaris*
U 12	12	Sergent-Bauchat (du)	*Montgallet*
G 5	17	Sergent-Hoff (du)	*Ternes*
A 13	16	Sergent-Maginot (av.)	*Pte de St-Cloud*
C 10	16	Serge-Prokofiev	*Ranelagh*
N 11	6	Serpente	*Odéon*
X 9	20	Serpollet	*Pte de Bagnolet*
F 13	15	Serret	*Boucicaut*
W 6	19	Sérurier (bd)	*Ptes des Lilas, Pré-St-Gervais, Danube, Pte de Pantin*
T 9	11	Servan	*Rue St-Maur*
T 9	11	Servan (sq.)	*Père-Lachaise*
M 11	6	Servandoni	*St-Sulpice*
M 16	14	Seurat (villa)	*Alésia*
L 15	14	Severo	*Mouton-Duvernet*
N 4	18	Seveste	*Anvers*
Q 10	3/4	Sévigné (de)	*St-Paul*
K 12	6/7	Sèvres (de)	
	15		*Sèvres-Babylone, Vaneau, Duroc, Sèvres-Lecourbe*
F 11	15	Sextius-Michel	*Bir-Hakeim*
L 7	8/9	Sèze (de)	*Madeleine*
E 7	16	Sfax (de)	*Victor-Hugo*
D 9	16	Siam (de)	*Rue de la Pompe*
N 16	14	Sibelle (av. de la)	*Cité Universitaire, Alésia, Glacière*
P 6	10	Sibour	*Gare de l'Est*
V 13	12	Sibuet	*Picpus*
V 14	12	Sidi-Brahim	*Daumesnil*
O 16	13	Sigaud (pass.)	*Corvisart*
V 5	19	Sigmund-Freud	*Pré-St-Gervais*
G 9	7	Silvestre-de-Sacy (av.)	*École-Militaire*
O 3	18	Simart	*Marcadet-Pois.*
S 14	12/13	Simone-de-Beauvoir (passerelle)	*Quai de la Gare, Bercy*
T 6	19	Simon-Bolivar (av.)	*Pyrénées, Buttes-Chaumont, Bolivar*
M 3	18	Simon-Dereure	*Lamarck-Caul.*
O 16	13	Simonet	*Corvisart*
J 12	7/15	Simone-Michel-Lévy (pl.)	*Duroc, Sèvres-Lecourbe*
Q 17	13	Simone-Weil	*Pte d'Ivry*
P 9	4	Simon-le-Franc	*Rambuteau*
O 2	18	Simplon (du)	*Simplon*
D 10	16	Singer (pass.)	*La Muette*
D 10	16	Singer	*La Muette*

plan	arr.	appellation	*métro RER tramway*
10	4	Singes (pass. des)	*Hôtel-de-Ville*
3	17	Sisley	*Pereire*
5	14	Sivel	*Denfert-Roch.*
3	19	Sizerins (villa des)	*Danube*
1	18	Skanderbeg (pl.)	*Pte de la Chapelle*
5	13	Sœur-Catherine-Marie	*Glacière*
1	13	Sœur-Rosalie (av. de la)	*Pl. d'Italie*
4	18	Sofia (de)	*Barbès-Roch.*
9	19	Soissons (de)	*Stalingrad*
4	20	Soleil (du)	*Pl. des Fêtes*
4	20	Soleil-d'Or (cour du)	*Volontaires*
3	20	Soleillet	*Gambetta*
9	7	Solférino (de)	*Solférino*
9	1/7	Solférino (passerelle)	*Musée d'Orsay*
9	7	Solférino (port de)	*Musée d'Orsay*
4	19	Solidarité (de la)	*Danube*
4	19	Solitaires (des)	*Pl. des Fêtes*
4	17	Somme (bd de la)	*Pte de Champerret*
2	16	Sommeiller (villa)	*Pte St-Cloud*
9	5	Sommerard (du)	*Maubert-Mutualité*
3	15	Sommet-des-Alpes (du)	*Brancion*
3	13	Sonatine (villa)	*Ourcq*
7	16	Sontay (de)	*Victor-Hugo*
5	14	Sophie-Germain	*Mouton-Duvernet*
2	20	Sorbier	*Gambetta*
9	5	Sorbonne (pl. de la)	*Odéon*
2	5	Sorbonne (de la)	*Odéon*
8	20	Souchet (villa)	*Pelleport*
9	16	Souchier (villa)	*Rue de la Pompe*
1	15	Soudan (du)	*La Motte-Picquet*
9	5	Soufflot	*Luxembourg*
0	20	Souhaits (imp. des)	*Avron*
2	13	Souham (pl.)	*Olympiades*
2	12	Soult (bd)	*Pte Dorée, Pte de Vincennes*
8	20	Soupirs (pass. des)	*Gambetta*
1	16	Source (de la)	*Jasmin*
9	3	Sourdis (ruelle)	*St-Sébastien-Froissart*
1	14	Soutine (villa)	*Alésia, Cité Universitaire*
1	7	Souvenir-Français (esplanade du)	*St-François-Xavier*
1	20	Souzy (cité)	*Rue des Boulets*
9	11	Spinoza	*Père-Lachaise*
6	16	Spontini	*Pte Dauphine*
6	16	Spontini (villa)	*Pte Dauphine*
1	18	Square (av. du)	*Michel-A-Auteuil*
3	18	Square-Carpeaux (du)	*Guy-Môquet*
3	15	Staël (de)	*Pasteur*
6		Stanislas	*N.-D.-des-Champs*
7	20	Stanislas-Meunier	*Pte de Bagnolet*
2		Station (sentier de la)	*Corentin-Cariou*
3	18	Steinkerque (de)	*Anvers*
3		Steinlen (villa)	*Belleville*
6	20	Stemler (cité)	*Belleville*
5	20	Stendhal (pass.)	*Gambetta*
9	20	Stendhal	*Gambetta*
9	20	Stendhal (villa)	*Gambetta*
3	17	Stéphane-Grappelli	*Pte de Clichy*
2	17	Stéphane-Mallarmé (av.)	*Pte de Champerret*
3	13	Stéphen-Pichon (av.)	*Pl. d'Italie*
4	18	Stéphenson	*La Chapelle*
3	13	Sthrau	*Olympiades*
2	12	Stinville (pass.)	*Montgallet*
6	8	Stockholm (de)	*St-Lazare*
10		Strasbourg (bd de)	*Strasbourg-St-Denis, Château-d'Eau, Gare de l'Est*
4	17	Stuart-Merrill (pl.)	*Pte de Champerret*
0	16	Suchet (bd)	*Av. H.-Martin, Ranelagh, Pte d'Auteuil*
3	19	Sud (pass. du)	*Laumière*
0	20	Suez (imp. de)	*A.-Dumas*

plan	arr.	appellation	*métro RER tramway*
O 4	18	Suez (de)	*Château-Rouge*
H 12	7/15	Suffren (av. de)	*Champ de Mars, La Motte-Picquet, Cambronne, Ségur*
F 10	7/15	Suffren (port de)	*Champ de Mars*
N 11	6	Suger	*St-Michel*
J 15	14	Suisses (des)	*Plaisance*
Q 11	4/5	Sully (pt de)	*Sully-Morland*
Q 11	4	Sully (de)	*Sully-Morland*
W 8	20	Sully-Lombard (pl.)	*Pte de Bagnolet*
J 9	7	Sully-Prudhomme (av.)	*Invalides*
J 9	20	Surcouf	*Latour-Maub.*
K 7	8	Surène (de)	*Madeleine*
W 7	20	Surmelin (pass. du)	*St-Fargeau*
W 7	20	Surmelin (du)	*St-Fargeau*
N 4	18	Suzanne-Valadon (pl.)	*Anvers*
B 11	16	Sycomores (av. des)	*Michel-A.-Auteuil*
F 10	16	Sydney (pl. d')	*Champ de Mars*

T

plan	arr.	appellation	*métro RER tramway*
O 10	4	Tacherie (de la)	*Châtelet*
V 7	20	Taclet	*Pelleport*
P 17	13	Tage (du)	*Maison-Blanche*
Q 17	13	Tagore	*Pte d'Italie*
U 6	20	Taillade (av.)	*Jourdain*
S 11	11	Taillandiers (pass. des)	*Ledru-Rollin*
S 10	11	Taillandiers (des)	*Ledru-Rollin*
V 11	11	Taillebourg (av. de)	*Nation*
U 14	12	Taine	*Daumesnil*
M 6	17	Taitbout	*Chaussée-d'Antin, St-Georges*
V 13	12	Taïti (de)	*Bel-Air*
K 10	7	Talleyrand (de)	*Varenne*
D 10	16	Talma	*La Muette*
M 2	18	Talus (imp. du)	*Pte de St-Ouen*
S 4	18	Tandou	*Laumière*
R 3	19	Tanger (de)	*Stalingrad*
O 15	20	Tanneries (des)	*Glacière*
H 3	17	Tapisseries (des)	*Wagram*
J 4	17	Tarbé	*Villiers*
N 4	18	Tardieu	*Anvers*
G 3	17	Tarn (sq. du)	*Pte de Champerret*
D 8	16	Tattegrain (pl.)	*Av. H.-Martin*
P 7	20	Taylor	*J.-Bonsergent*
Q 2	18	Tchaïkovski	*Marx-Dormoy*
J 6	7	Téhéran (de)	*Miromesnil*
V 6	20	Télégraphe (pass. du)	*Télégraphe*
V 7	20	Télégraphe (du)	*Télégraphe*
Q 8	3/11	Temple (bd du)	*Filles-du-Calvaire, République*
P 7	3/4	Temple (du)	*Hôtel-de-Ville, Rambuteau, Arts-et-Métiers, Temple*
L 15	14	Tenaille (pass.)	*Mouton-Duvernet*
L 2	18	Tennis (des)	*Guy-Môquet*
R 8	11	Ternaux	*Parmentier*
G 6	17	Ternes (av. des)	*Ternes, Pte Maillot*
G 6	8/17	Ternes (pl. des)	*Ternes*
F 5	17	Ternes (des)	*Pte Maillot*
F 5	17	Ternes (villa des)	*Pte Maillot*
Q 6	10	Terrage (du)	*Château-Landon*
J 5	17	Terrasse (de la)	*Villiers*
J 5	17	Terrasse (villa de la)	*Villiers*
V 10	20	Terre-Neuve (de)	*A.-Dumas*
R 17	13	Terres-au-Curé (des)	*Olympiades*
T 15	12	Terroirs-de-France (av. des)	*Cour St-Emilion*
N 4	18	Tertre (imp. du)	*Abbesses*
N 4	18	Tertre (pl. du)	*Abbesses*
H 13	17	Tessier	*Volontaires*
O 11	20	Tesson	*Goncourt*
K 14	14	Texel (du)	*Gaîté*
J 5	18	Thann (de)	*Monceau*
G 12	15	Théâtre (du)	*Charles-Michels, Émile-Zola*
O 11	5	Thénard	*Maubert-Mutualité*

plan	arr.	appellation	métro RER tramway
G 5	17	Théodore-de-Banville	*Pereire*
F 14	15	Théodore-Deck	*Convention*
F 14	15	Théodore-Deck (villa)	*Convention*
V 15	12	Théodore-Hamont	*Pte de Charenton*
P 8	3	Théodore-Herzl (pl.)	*Arts-et-Métiers*
H 12	15	Théodore-Judlin (sq.)	*Cambronne*
C 12	16	Théodore-Rivière (pl.)	*Égl. d'Auteuil*
C 11	16	Théodore-Rousseau (av.)	*Ranelagh*
H 5	17	Théodule-Ribot	*Courcelles*
D 11	16	Théophile-Gautier (av.)	*Égl. d'Auteuil*
C 12	16	Théophile-Gautier (sq.)	*Égl. d'Auteuil*
S 11	12	Théophile-Roussel	*Ledru-Rollin*
G 13	15	Théophraste-Renaudot	*Commerce*
M 8	1	Thérèse	*Pyramides*
K 15	14	Thermopyles (des)	*Pernety*
L 25	14	Thibaud	*Alésia*
H 14	15	Thiboumery	*Vaugirard*
S 11	11	Thiéré (pass.)	*Ledru-Rollin*
D 8	16	Thiers	*Rue de la Pompe*
D 8	16	Thiers (sq.)	*Rue de la Pompe*
G 4	17	Thimerais (sq. du)	*Pte de Champerret*
O 5	9	Thimonnier	*Anvers*
T 3	19	Thionville (pass. de)	*Ourcq*
T 3	19	Thionville (de)	*Ourcq*
M 4	18	Tholozé	*Blanche*
M 16	14	Thomas-Francine	*Cité Universitaire*
S 16	13	Thomas-Mann	*Bibliothèque François Mitterrand*
O 18	13	Thomire	*Cité Universitaire*
H 11	7	Thomy-Thierry (all.)	*La Motte-Picquet*
O 7	2	Thorel	*Bonne-Nouvelle*
E 14	15	Thoreton (villa)	*Lourmel*
Q 9	3	Thorigny (pl. de)	*St-Sébastien-Froissart*
Q 9	3	Thorigny (de)	*St-Sébastien-Froissart*
T 15	12	Thorins (de)	*Cour St-Émilion*
O 12	5	Thouin	*Cardinal-Lemoine*
F 15	15	Thuré (cité)	*Commerce*
P 17	13	Tibre (du)	*Maison-Blanche*
B 11	16	Tilleuls (av. des)	*Michel-A.-Auteuil*
G 6	8/17	Tilsitt (de)	*Ch.-de-G.-Étoile*
G 12	15	Tiphaine	*La Motte-Picquet*
O 8	2	Tiquetonne	*Étienne-Marcel*
P 10	4	Tiron	*St-Paul*
E 13	15	Tisserand	*Lourmel*
P 14	13	Titien	*Campo-Formio*
T 11	11	Titon	*Faidherbe-Chal.*
T 8	20	Tlemcen	*Père-Lachaise*
T 3	19	Toccata (villa)	*Ourcq*
J 5	17	Tocqueville (de)	*Malesherbes*
H 3	17	Tocqueville (sq. de)	*Wagram*
L 8	16	Tokyo (pl. de)	*Iéna*
W 11	20	Tolain	*Maraîchers*
S 15	12/13	Tolbiac (pt de)	*Cour St-Émilion*
T 16	13	Tolbiac (port de)	*Bibliothèque François Mitterrand*
R 16	13	Tolbiac (de)	*Bibliothèque François Mitterrand, Olympiades, Glacière*
R 16	13	Tolbiac (villa)	*Olympiades*
B 11	16	Tolstoï (sq.)	*Jasmin*
M 16	14	Tombe-Issoire (de la)	*St-Jacques, Alésia, Pte d'Orléans*
P 4	18	Tombouctou (de)	*La Chapelle*
Q 3	18	Torcy (pl. de)	*Marx-Dormoy*
Q 3	18	Torcy (de)	*Marx-Dormoy*
F 5	17	Torricelli	*Ternes*
V 14	12	Toul (de)	*Michel-Bizot*
N 12	5	Toullier	*Luxembourg*
U 4	19	Toulouse (de)	*Pte de Pantin*
L 1	17	Toulouse-Lautrec	*Pte de St-Ouen*
E 9	16	Tour (de la)	*Passy, Rue de la Pompe, Av. H.-Martin*
D 9	16	Tour (villa de la)	*Rue de la Pompe*
M 6	9	Tour-des-Dames (la)	*Trinité*
L 14	14	Tour-de-Vanves (pass. de la)	*Gaîté*
W 6	20	Tourelles (pass. des)	*Pte des Lilas*
W 6	20	Tourelles (des)	*Pte des Lilas*
M 4	18	Tourlaque	*Blanche*
O 13	5	Tournefort	*Place Monge*
P 11	4/5	Tournelle (pt de la)	*Pont-Marie*
P 11	4	Tournelle (port de la)	*Pont-Marie*
P 11	5	Tournelle (q. de la)	*Maubert-Mutualité*
Q 10	3/4	Tournelles (des)	*Bastille, Chemin-Vert*
V 14	12	Tourneux (imp.)	*Daumesnil*
V 14	12	Tourneux	*Daumesnil*
M 11	6	Tournon (de)	*Odéon*
S 2	15	Tournus	*Émile-Zola*
S 7	20	Tourtille (de)	*Belleville*
J 11	7	Tourville (av.)	*St-F.-Xavier, Éc. Militaire*
P 16	13	Toussaint-Féron	*Tolbiac*
N 11	6	Toustain	*Odéon*
P 8	3	Tracy (de)	*Réaumur-Séb.*
O 2	2	Traëger (cité)	*Marcadet-Pois.*
F 7	16	Traktir (de)	*Ch.-de-G.-Étoile*
T 7	20	Transvaal (du)	*Pyrénées*
R 12	12	Traversière	*Gare de Lyon, L.-Rollin*
J 6	3	Treilhard	*Miromesnil*
P 10	4	Trésor (du)	*St-Paul*
N 3	18	Trétaigne (de)	*Jules-Joffrin*
O 6	9	Trévise (cité de)	*Poissonnière*
O 6	9	Trévise (de)	*Cadet*
O 8	2	Trinité (pass. de la)	*Réaumur-Séb.*
M 6	9	Trinité (de la)	*Trinité*
F 5	17	Tristan-Bernard (pl.)	*Ternes*
Q 2	18	Tristan-Tzara	*Pte de la Chapelle*
F 9	16	Trocadéro et du 11 Novembre (pl. du)	*Trocadéro*
E 9	16	Trocadéro (sq. du)	*Trocadéro*
R 8	11	Trois-Bornes (cité des)	*Parmentier*
R 8	11	Trois-Bornes (des)	*Parmentier*
S 8	11	Trois-Couronnes (des)	*Couronnes*
S 7	20	Trois-Couronnes (villa des)	*Couronnes*
S 11	11	Trois-Frères (cour des)	*Ledru-Rollin*
N 4	18	Trois-Frères (des)	*Abbesses*
O 11	5	Trois-Portes (des)	*Maubert-Mutualité*
S 10	11	Trois-Sœurs (imp. des)	*Voltaire*
R 16	13	Trolley-de-Prévaux	*Olympiades*
L 7	8/9	Tronchet	*Havre-Caum.*
V 12	11/12	Trône (av. du)	*Nation*
V 11	11	Trône (pass. du)	*Nation*
L 7	8	Tronson-du-Coudray	*St-Augustin*
S 11	11	Trousseau	*Ledru-Rollin*
G 6	17	Troyon	*Ch.-de-G.-Étoile*
O 17	13	Trubert-Bellier (pass.)	*Tolbiac*
O 5	9	Trudaine (av.)	*Anvers*
N 5	9	Trudaine (sq.)	*St-Georges*
K 4	17	Truffaut	*Brochant, La Fourche*
R 9	11	Truillot (imp.)	*St-Ambroise*
L 9	7	Tuileries (port des)	*Musée d'Orsay*
P 9	1	Tuileries (q. des)	*Tuileries*
M 9	1	Tuileries (terrasse des)	*Palais-Royal*
N 2	18	Tulipes (villa des)	*Pte de Clignancourt*
U 11	11	Tunis (de)	*Nation*
T 5	19	Tunnel (du)	*Buttes-Chaumont*
P 8	1/2/3	Turbigo (de)	*Étienne-Marcel, Arts-et-Métiers, Temple*
Q 8	3/4	Turenne (de)	*St-Paul, Chemin-Vert, St-Sébastien-Froissart, Filles-du-Calvaire*
O 5	9	Turgot	*Anvers*

plan	arr.	appellation	métro RER tramway
5	8	**Turin** (de)	*Liège, Rome*
11	11	**Turquetil** (pass.)	*Rue des Boulets*

U

plan	arr.	appellation	métro RER tramway
2	5	**Ulm** (d')	*Luxembourg*
8	7	**Union** (pass. de l')	*École-Militaire*
0	16	**Union** (sq. de l')	*Boissière*
10	7	**Université** (de l')	*Rue du Bac, Solférino, Invalides, Pt de l'Alma*
10	16	**Urfé** (sq. d')	*Pte d'Auteuil*
3	4	**Ursins** (des)	*Cité*
3	5	**Ursulines** (des)	*Luxembourg*
7	16	**Uruguay** (pl. de l')	*Kléber*
7	2	**Uzès** (d')	*Grds-Boulevards*

V

plan	arr.	appellation	métro RER tramway
10	7	**Valadon**	*École-Militaire*
13	5	**Val-de-Grâce** (du)	*Port-Royal*
13	13	**Val-de-Marne** (du)	*Gentilly*
4	5	**Valence** (de)	*Censier-Daubenton*
9	10	**Valenciennes** (pl. de)	*Gare du Nord*
9	10	**Valenciennes** (de)	*Gare du Nord*
1	18	**Valentin-Abeille** (all.)	*Pte de la Chapelle*
4	15	**Valentin-Haüy**	*Sèvres-Lecourbe*
2	14	**Valéry-Larbaud**	*Quai de la Gare*
2	5	**Valette**	*Maubert-Mutualité*
4	5/13	**Valhubert** (pl.)	*Austerlitz*
4	12	**Vallée-de-Fécamp** (imp. de la)	*Pte de Charenton*
5	13	**Vallet** (pass.)	*Nationale*
0	11	**Valmy** (imp. de)	*Rue du Bac*
0	10	**Valmy** (q. de)	*République, J.-Bonsergent, Château-Landon, Louis-Blanc*
5	8	**Valois** (av. de)	*Monceau*
9	1	**Valois** (gal. de)	*Palais-Royal*
9	1	**Valois** (pl. de)	*Palais-Royal*
9	1	**Valois** (de)	*Palais-Royal*
6	14	**Vandal** (imp.)	*Pte de Vanves*
3	14	**Vandamme**	*Gaîté*
16	13	**Vandrezanne** (pass.)	*Tolbiac*
16	13	**Vandrezanne**	*Tolbiac*
6	8	**Van-Dyck** (av.)	*Courcelles*
0	7	**Vaneau** (cité)	*Varenne*
11	7	**Vaneau**	*Vaneau, Varenne*
12	12	**Van-Gogh**	*Gare de Lyon*
13	14	**Van-Loo**	*Chardon-Lagache*
11	12	**Van-Vollenhoven** (sq.)	*Pte Dorée*
11	20	**Var** (sq. du)	*Pte de Vincennes*
13	7	**Varenne** (cité de)	*Rue du Bac*
13	7	**Varenne** (de)	*Varenne*
13	15	**Varet**	*Lourmel*
	2	**Variétés** (gal. des)	*Grds-Boulevards*
3	16	**Varize** (de)	*Exelmans*
3	16	**Varsovie** (pl. de)	*Trocadéro*
4	15	**Vasco-de-Gama**	*Lourmel*
1	12	**Vassou** (imp.)	*Pte de Vincennes*
1	7	**Vauban** (pl.)	*St-François-Xavier*
8	3	**Vaucanson**	*Arts-et-Métiers*
7	17	**Vaucluse** (sq. du)	*Pte de Champerret*
11		**Vaucouleurs**	*Couronnes*
5	15	**Vaugelas**	*Convention*
15	15	**Vaugirard** (bd de)	*Montparnasse-B.*
3	15	**Vaugirard** (galerie)	*Pasteur*
2	6/15	**Vaugirard** (de)	*Luxembourg, St-Placide, Falguière, Pasteur, Volontaires, Vaugirard, Convention, Pte de Versailles*
3		**Vauquelin**	*Censier-Daubenton*
2	18	**Vauvenargues**	*Guy-Môquet, Pte de St-Ouen*
2	18	**Vauvenargues** (villa)	*Pte de St-Ouen*
9	1	**Vauvilliers**	*Les Halles*
M 13	6	**Vavin** (av.)	*Vavin*
M 12	6	**Vavin**	*Vavin*
W 14	12	**Véga** (de la)	*Michel-Bizot*
J 5	2	**Velasquez** (av.)	*Monceau*
S 17	13	**Velay** (sq. du)	*Pte d'Ivry*
L 11	7	**Velpeau**	*Sèvres-Babylone*
V 15	12	**Vendée** (sq. de la)	*Pte de Charenton*
L 8	1	**Vendôme** (cour)	*Opéra*
Q 8	3	**Vendôme** (sq.)	*République*
L 8	1	**Vendôme** (pl.)	*Opéra*
Q 17	13	**Vénétie** (pl. de)	*Pte de Choisy*
E 7	16	**Vénézuela** (pl. du)	*Victor-Hugo*
O 9	4	**Venise** (de)	*Rambuteau*
M 8	1	**Ventadour** (de)	*Pyramides*
K 14	14	**Vercingétorix**	*Gaîté, Pernety, Plaisance, Pte de Vanves*
N 7	9	**Verdeau** (pass.)	*Grds-Boulevards*
C 12	16	**Verderet**	*Égl. d'Auteuil*
Q 6	16	**Verdi**	*La Muette*
Q 6	10	**Verdun** (av. de)	*Gare de l'Est*
S 4	19	**Verdun** (pass. de)	*Crimée*
E 5	17	**Verdun** (pl. de)	*Pte Maillot*
Q 6	10	**Verdun** (sq. de)	*Gare de l'Est*
H 14	15	**Vergennes** (sq.)	*Vaugirard*
U 15	12	**Vergers** (des)	*Pte de Charenton*
O 16	13	**Vergniaud**	*Glacière*
N 15	14	**Verhaeren** (all.)	*St-Jacques*
N 9	1	**Vérité** (pass.)	*Palais-Royal*
V 5	19	**Vermandois** (sq. du)	*Pré-St-Gervais*
O 13	5	**Vermenouze** (sq.)	*Censier-Daubenton*
H 7	8	**Vernet**	*George-V*
M 10	7	**Verneuil** (de)	*Rue du Bac*
F 4	17	**Vernier**	*Pte de Champerret*
H 4	17	**Verniquet**	*Pereire*
N 9	1	**Vero-Dodat** (gal.)	*Louvre*
M 4	18	**Véron** (cité)	*Blanche*
M 4	18	**Véron**	*Abbesses*
P 15	14	**Véronèse**	*Pl. d'Italie*
P 10	4	**Verrerie** (de la)	*Hôtel-de-Ville*
O 9	1	**Verrières** (pass. des)	*"Forum des Halles" Châtelet-Les Halles*
D 11	16	**Versailles** (av. de)	*Av. du Pdt-Kennedy, Mirabeau, Exelmans, Pte de St-Cloud*
N 2	18	**Versigny**	*Simplon*
P 8	3	**Vertbois** (du)	*Temple*
R 9	11	**Verte** (all.)	*Richard-Lenoir*
P 8	3	**Vertus** (des)	*Arts-et-Métiers*
F 5	17	**Verzy** (av. de)	*Pte Maillot*
P 14	13	**Vésale**	*Les Gobelins*
V 5	19	**Vexin** (sq. du)	*Danube*
J 6	17	**Vézelay** (de)	*Villiers*
F 11	15	**Viala**	*Dupleix*
S 10	11	**Viallet** (pass.)	*Voltaire*
N 9	1	**Viarmes** (de)	*Louvre*
G 15	15	**Vichy** (de)	*Convention*
R 6	10	**Vicq-d'Azir**	*Colonel-Fabien*
N 6	9	**Victoire** (de la)	*Le Peletier, Trinité*
N 8	1/2	**Victoires** (pl. des)	*Bourse*
E 15	15	**Victor** (bd)	*Balard*
L 16	14	**Victor-et-Hélène-Basch** (pl.)	*Alésia*
V 13	12	**Victor-Chevreuil**	*Bel-Air*
M 14	14	**Victor-Considérant**	*Denfert-Roch.*
N 12	15	**Victor-Cousin**	*Luxembourg*
W 8	20	**Victor-Dejeante**	*Pte de Bagnolet*
G 14	15	**Victor-Duruy**	*Convention*
H 15	14	**Victor-Galland**	*Brancion*
T 8	11	**Victor-Gelez**	*Ménilmontant*
F 7	16	**Victor-Hugo** (av.)	*Ch.-de-Gaulle-Étoile, Victor-Hugo, Av. H.-Martin*

plan	arr.	appellation — *métro RER tramway*
E 7	16	**Victor-Hugo** (pl.) *Victor-Hugo*
E 8	16	**Victor-Hugo** (villa) *Rue de la Pompe*
M 14	14	**Victor-Schœlcher** *Denfert-Roch.*
O 10	1/4	**Victoria** (av.) *Châtelet*
C 13	16	**Victorien-Sardou** *Chardon-Lagache*
C 13	16	**Victorien-Sardou** (sq.) *Chardon-Lagache*
C 13	16	**Victorien-Sardou** (villa) *Chardon-Lagache*
T 8	20	**Victor-Letalle** *Ménilmontant*
N 16	13	**Victor-Marchand** (pass.) *Glacière*
N 5	9	**Victor-Massé** *Pigalle*
W 9	20	**Victor-Ségalen** *Pte de Bagnolet*
W 7	20	**Vidal-de-la-Blache** *St-Fargeau*
N 8	2	**Vide-Gousset** *Bourse*
Q 9	3/4	**Vieille-du-Temple** *Hôtel-de-Ville, St-Sébastien-Froissart*
K 6	8	**Vienne** (de) *Europe*
H 10	7	**Vierge** (pass. de la) *École-Militaire*
H 4	8	**Viète** *Malesherbes*
M 11	6	**Vieux-Colombier** (du) *St-Sulpice*
J 14	15	**Vigée-Lebrun** *Volontaires*
D 10	16	**Vignes** (des) *La Muette*
V 10	20	**Vignoles** (imp. des) *Buzenval*
V 10	20	**Vignoles** (des) *Buzenval*
L 7	8/9	**Vignon** *Madeleine*
R 11	11	**Viguès** (cour) *Ledru-Rollin*
T 7	20	**Vilin** *Couronnes*
C 13	16	**Villa-la-Réunion** (grande avenue de la) *Chardon-Lagache*
H 15	15	**Villafranca** (de) *Brancion*
G 11	15	**Village-Suisse** *La Motte-Picquet*
F 6	17	**Villaret-de-Joyeuse** *Argentine*
F 6	17	**Villaret-de-Joyeuse** (sq.) *Argentine*
J 11	7	**Villars** (av. de) *St-François-Xavier*
G 5	17	**Villebois-Mareuil** *Ternes*
M 8	1	**Villedo** *Pyramides*
Q 10	3	**Villehardouin** *Chemin-Vert*
K 7	8	**Ville-l'Évêque** (de la) *Madeleine*
K 15	14	**Villemain** (av.) *Plaisance*
O 7	2	**Ville-Neuve** (de la) *Bonne-Nouvelle*
L 10	7	**Villersexel** (de) *Solférino*
S 6	10	**Villette** (bd de la) *Belleville, Colonel-Fabien, Jaurès, Stalingrad*
T 3	19	**Villette** (gal. de la) *Pte de la Villette*
T 5	19	**Villette** (de la) *Botzaris*
J 5	17	**Villiers** (av. de) *Villiers, Malesherbes, Wagram, Pereire, Pte de Champerret*
V 7	20	**Villiers-de-l'Isle-Adam** *Gambetta*
S 13	12	**Villiot** *Bercy*
R 15	13	**Vimoutiers** (de) *Chevaleret*
Q 8	1	**Vinaigriers** (des) *J.-Bonsergent*
W 12	12/20	**Vincennes** (cours de) *Nation, Pte de Vincennes*
R 14	13	**Vincent-Auriol** (bd) *Quai de la Gare, Chevaleret, Nationale, Pl. d'Italie*
N 2	18	**Vincent-Compoint** *Pte de Clignancourt*
X 13	12	**Vincent-d'Indy** (av.) *Pte de Vincennes*
S 4	17	**Vincent-Scotto** *Laumière*
E 9	16	**Vineuse** *Passy*
L 17	14	**Vingt-Cinq-Août-44** (pl. du) *Pte d'Orléans*
F 4	17	**Vingt-Deux-Novembre-1943** (pl. du) *Pte de Champerret*
M 8	1	**Vingt-Neuf-Juillet** (du) *Tuileries*
T 15	13	**Vins-de-France** (pl. des) *Cour St-Emilion*
L 5	9	**Vintimille** (de) *Pl. de Clichy*
F 12	15	**Violet** (pl.) *Commerce*
F 12	15	**Violet** *Émile-Zola*
F 13	15	**Violet** (villa) *Commerce*
N 5	18	**Viollet-le-Duc** *Pigalle*
C 10	16	**Vion-Whitcomb** (av.) *Ranelagh*
L 17	14	**Virginie** (villa) *Pte d'Orléans*
G 13	15	**Viroflay** (de) *Vaugirard*
M 10	6	**Visconti** *St-Germain-des-P.*
L 10	7	**Visitation** (pass. de la) *Rue du Bac*
Q 17	13	**Vistule** (de la) *Maison-Blanche*
E 9	16	**Vital** *La Muette*
W 9	20	**Vitruve** *Maraîchers*
W 9	20	**Vitruve** (sq.) *Pte de Bagnolet*
U 13	12	**Vivaldi** (all.) *Daumesnil*
F 4	17	**Vivarais** (sq. du) *Pte de Champerret*
N 8	2	**Vivienne** (gal.) *Bourse*
N 7	1/2	**Vivienne** *Bourse*
W 11	20	**Volga** (du) *Maraîchers*
L 7	2	**Volney** *Opéra*
J 13	15	**Volontaires** (des) *Volontaires*
P 8	3	**Volta** *Arts-et-Métiers*
S 9	11	**Voltaire** (bd) *Oberkampf, St-Ambroise, Voltaire, Charonne, Rue des Boulets, Nation*
U 11	12	**Voltaire** (cité) *Rue des Boulets*
B 13	16	**Voltaire** (imp.) *Michel-A.-Auteuil*
M 10	6	**Voltaire** (q.) *Rue du Bac*
U 11	11	**Voltaire** *Rue des Boulets*
N 17	13	**Volubilis** (des) *Cité Universitaire*
Q 10	3/4	**Vosges** (pl. des) *Chemin-Vert*
J 15	15	**Vouillé** (de) *Plaisance*
U 8	20	**Voulzie** (de la) *Gambetta*
W 12	12	**Voûte** (pass. de la) *Pte de Vincennes*
W 12	12	**Voûte** (de la) *Pte de Vincennes*
O 15	15	**Vulpian** *Glacière*

W

plan	arr.	appellation — *métro RER tramway*
H 4	8/17	**Wagram** (av. de) *Ch.-de-Gaulle-Étoile, Ternes, Wagram*
H 4	17	**Wagram** (pl. de) *Wagram*
G 6	17	**Wagram-St-Honoré** (villa) *Ternes*
F 5	17	**Waldeck-Rousseau** *Pte Maillot*
Q 14	13	**Wallons** (des) *St-Marcel*
H 6	8	**Washington** *George-V*
J 14	15	**Wassily-Kandinsky** (pl.) *Volontaires*
T 16	13	**Watt** *Bibliothèque François Mitterrand*
P 14	13	**Watteau** *Campo-Formio*
S 2	19	**Wattieaux** (pass.) *Crimée*
V 14	12	**Wattignies** (imp.) *Pte de Charenton*
V 14	12	**Wattignies** (de) *Dugommier, M.-Bizot*
Q 7	10	**Wauxhall** (cité du) *République*
E 6	16	**Weber** *Pte Maillot*
U 8	20	**Westermann** *Gambetta*
H 16	13	**Wilfrid-Laurier** *Pte de Vanves*
C 12	16	**Wilhem** *Mirabeau*
J 8	3	**Winston-Churchill** (av.) *Ch.-Élysées-C.*
N 16	13	**Wurtz** *Glacière*

X

plan	arr.	appellation — *métro RER tramway*
R 16	13	**Xaintrailles** *Bibliothèque François Mitterrand*
O 11	5	**Xavier-Privas** *St-Michel*

Y

plan	arr.	appellation — *métro RER tramway*
Q 15	13	**Yéo-Thomas** *Nationale*
T 15	12	**Yonne** (pass. de l') *Cours-St-Emilion*
F 4	17	**Yser** (bd de l') *Pte de Champerret*
H 14	15	**Yvart** *Vaugirard*
F 5	17	**Yves-du-Manoir** (av.) *Pte Maillot*
Q 7	10	**Yves-Toudic** *République*
C 11	16	**Yvette** (de l') *Jasmin*
F 6	17	**Yvon-et-Claire-Morandat** (pl.) *Argentine*
N 4	18	**Yvonne-Le-Tac** *Abbesses*
N 7	16	**Yvon-Villarceau** *Victor-Hugo*

Z

plan	arr.	appellation — *métro RER tramway*
R 15	13	**Zadkine** *Chevaleret*
U 3	19	**Zénith** (all. du) *Pte-de-Pantin*

LEGENDE

	Français	English	Deutsch	Italiano	Nederlands
	Boulevard périphérique avec sortie	Ring road whit exit	Ringstrasse mit Ausfahrt	Circonvallazione con uscita	Ringweg met afrit
	Rue à sens unique	One-way street	Einbahnstrasse	Strada a senso unico	Eenrichtingsweg
	Rue interdite	No entry	Gespeirte Strasse	Strada sbarrata	Afgesloten straat
	Rue piétonne ou réglementée	Pedestrians street	Fussgängerstrasse	Strada pedonale	Voetgangerszone
	Allée	Lane	Allee	Viale	Laan
	Limite d'arrondissement	" Arrondissement " boundary	" Arrondissement " grenze	Limite di " arrondissement "	Grens van de stadswijk
	Limite de commune	District boundary	Gemeindegrenze	Limite di comune	Gemeentegrens
(M)	Station de métro	Métro station	Metrostation	Stazione di metro.	Metrostation
(R)	Station RER	Regional express network station	Regionale Schnellverkersnetzstation	Stazione di RER	RER-Station
(T)	Tramway	Tramway	Tramway	Tramway	Tramway
	Piscine	Swimming pool	Swimmbad	Piscina	Zwembad
	Batobus	Batobus	Batobus	Batobus	Batobus
T	Principales stations de taxi	Main taxi ranks	Grössere Taxistationen	Principali stazione di taxi	Voornaamste taxistandplaatsen
P	Parking	Parking	Parkplatz	Parcheggio	Parkeerplaats
A 3	Accès d'autoroute	Acces to motorway	Anschlusstelle für Autobahn	Accesso di autostrada	Toegang tot autosnelweg
Poste	Bureau de poste	Post office	Postamt	Ufficio postale	Postkantoor
+	Hôpital, clinique	Hospital, private clinic	Krankenhaus, Klinik	Ospedal, clinica	Ziekenhuis, kliniek
●	Salle de spectacle	Theatre	Schauspielhaus	Locale di spettacolo	Schouwburg
■	Musée	Museum	Museum	Museo	Museum
✿	Station Vélib'	Vélib' station	Vélib' station	Stazion Vélib'	Vélib' station

Échelle : la largeur du carreau est toujours égale à 550 mètres

49

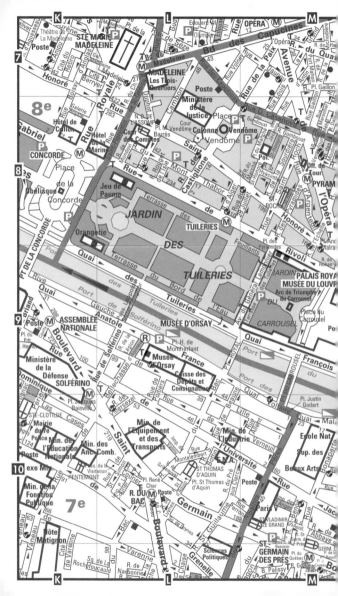

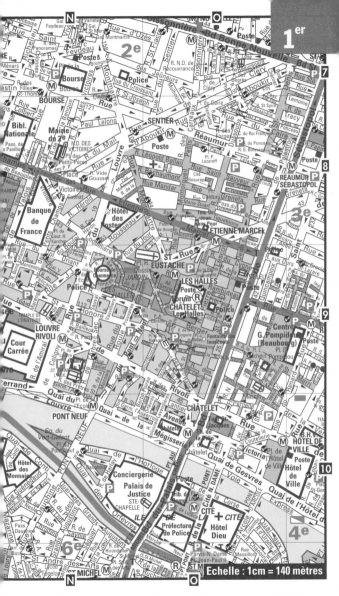

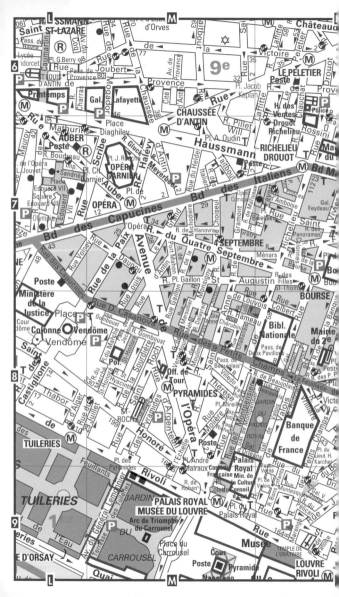

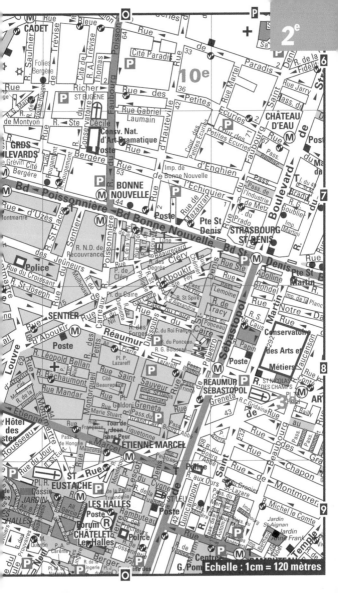

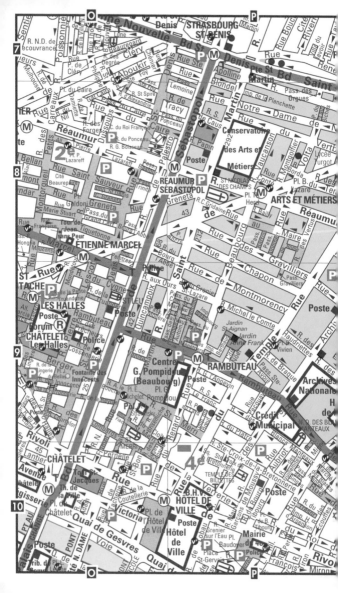

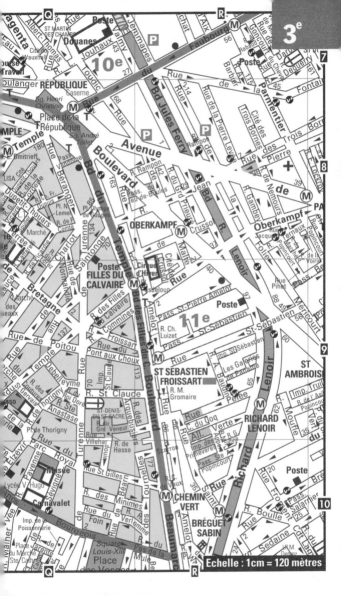

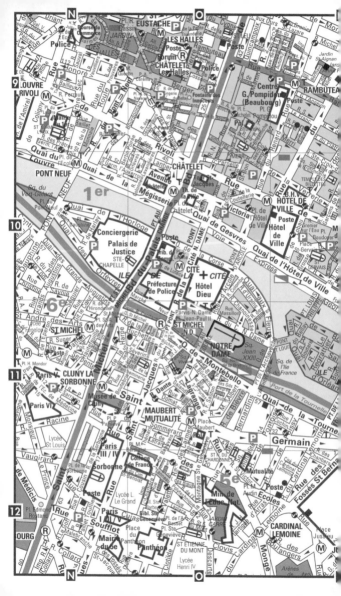

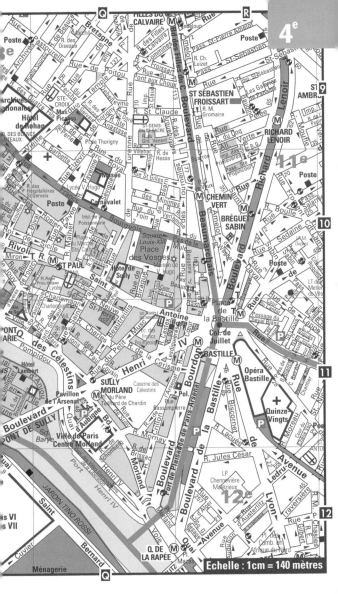

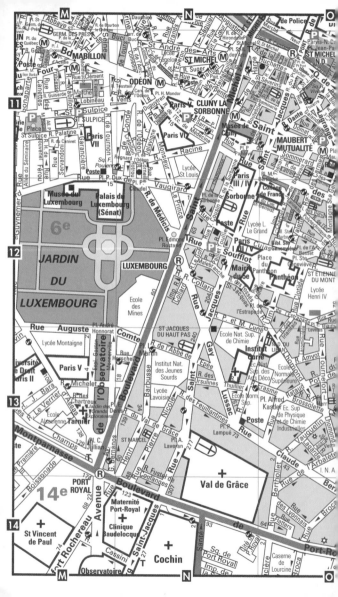

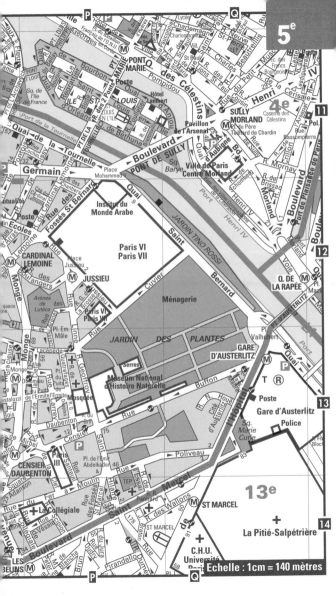

5e

4e

13e

Echelle : 1cm = 140 mètres

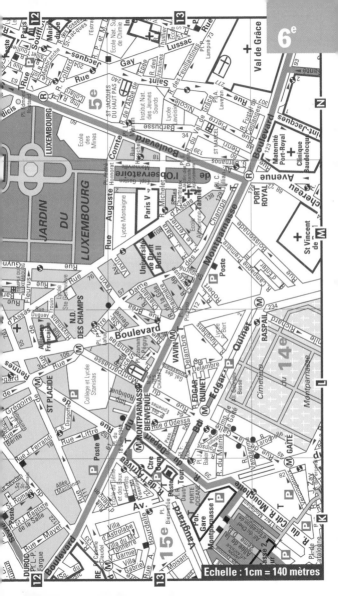

6e

5e

14e

15e

JARDIN DU LUXEMBOURG

LUXEMBOURG

Boulevard Montparnasse

Echelle : 1cm = 140 mètres

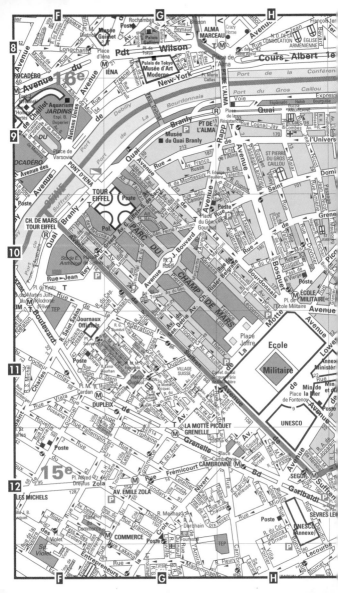

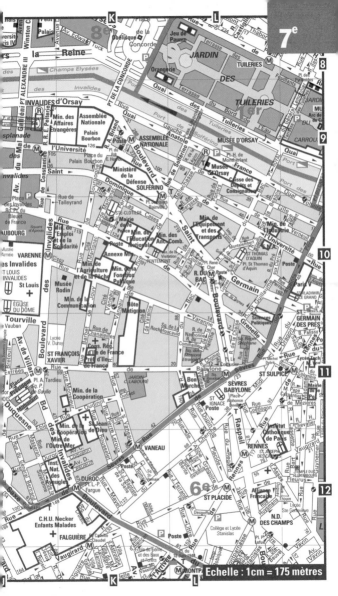

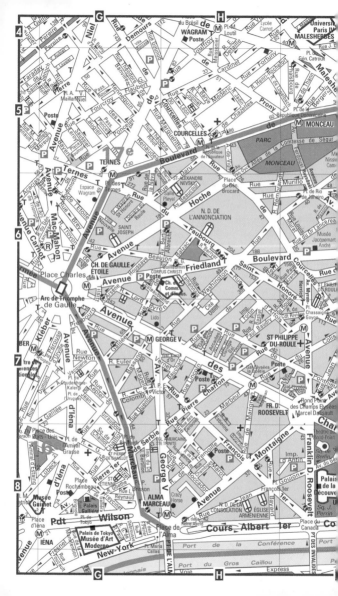

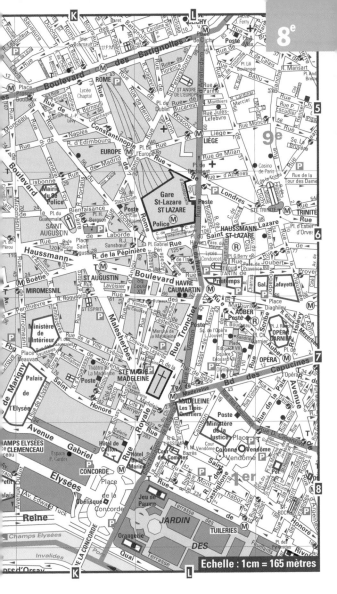

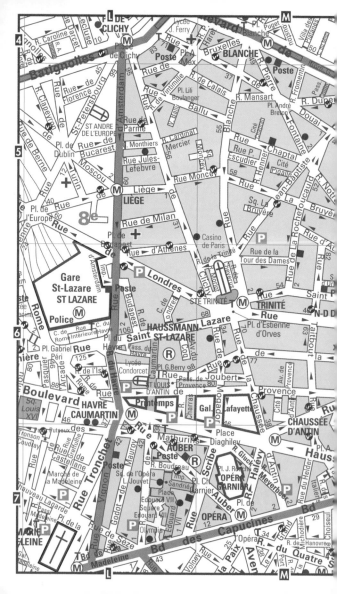

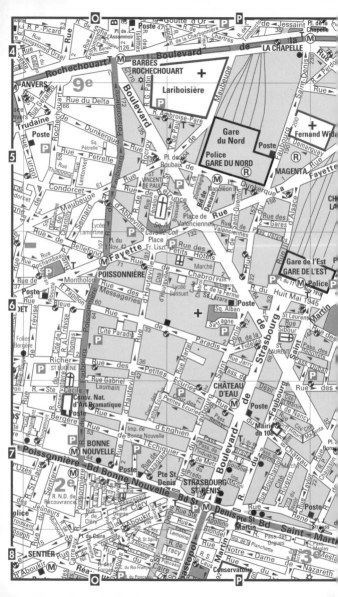

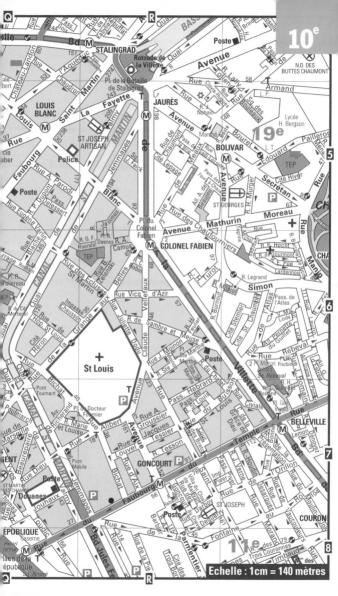

Echelle : 1cm = 140 mètres

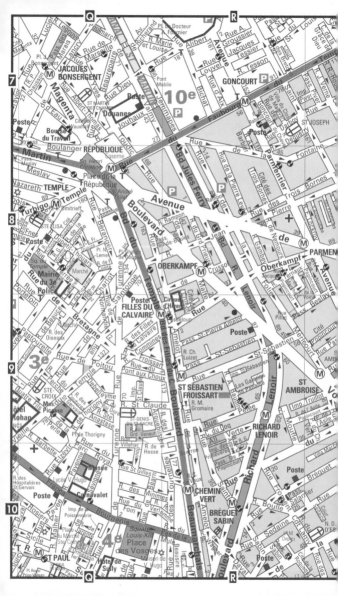

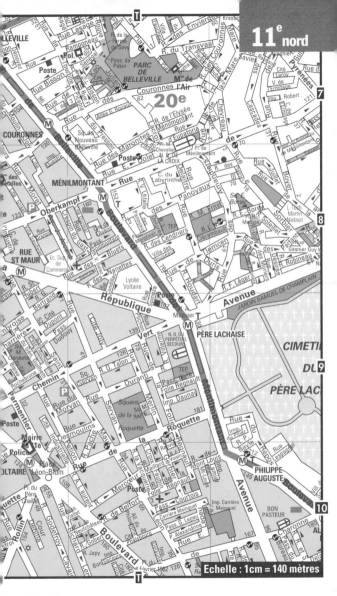

LEVILLE

PARC DE BELLEVILLE

20ᵉ

Mⁱᵉ de l'Air

R. du Transvaal

COURONNES

MÉNILMONTANT

Oberkampf

RUE ST MAUR

Rue des Panoyaux

Lycée Voltaire

République

Vert

Chemin

Père Lachaise

Parmentier

Roquette

Poste

Square de la Roquette

Durant

Folie Regnault

la Roquette

VOLTAIRE Léon-Blum

PHILIPPE AUGUSTE

CIMETIÈ DU PÈRE LAC

JARDIN SAMUEL DE CHAMPLAIN

Avenue

Boulevard

Rollin

BON PASTEUR

Charonne

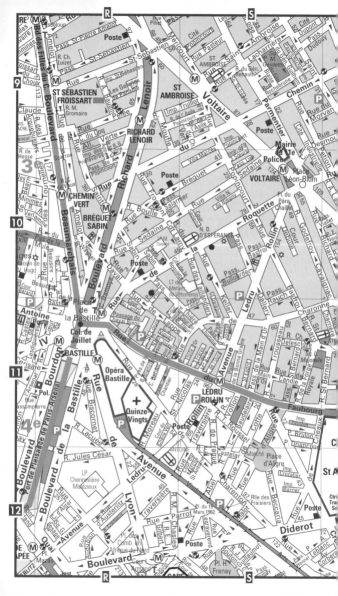

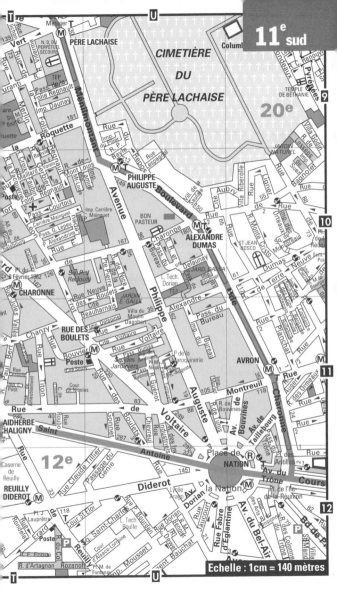

CIMETIÈRE
DU
PÈRE LACHAISE
20e

PÈRE LACHAISE

PHILIPPE AUGUSTE

ALEXANDRE DUMAS

CHARONNE

RUE DES BOULETS

AVRON

AIDHERBE
HALIGNY

12e

REUILLY
DIDEROT

NATION

Place de
la Nation

Diderot

Echelle : 1cm = 140 mètres

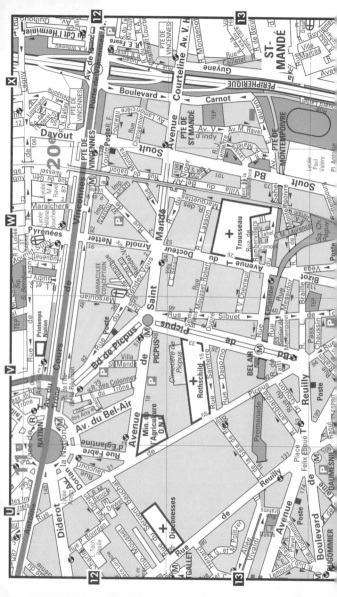

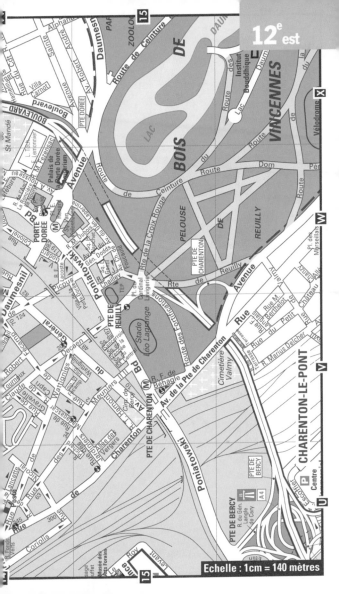

BOIS DE VINCENNES

ROUTE de Ceinture

PARC ZOOLOGIQUE

DAUME...

Institut Beuddhique

LAC des

X

Route du Lac

PTE DOREE

Avenue

Route

Dom

Per

Route

DE

Vélodrome

Palais Dorée

PTE DE
REUILLY

Boulevard

St Mandé

PORTE
DOREE

M PORTE DOREE

PB

PELOUSE DE REUILLY

W

PTE DE
CHARENTON

Avenue

Reuilly

Pl. des
Marseillais

Poniatowski

Route de la Croix Rouge

Général

Daumesnil

Rue

Rue M. Berthelot

Château

PTE DE
REUILLY

Stade
Léo Lagrange

Pl. du
Cardinal
Lavigerie

Rte des

Rue du Petit

Rue M. Marius Delcher

CHARENTON-LE-PONT

V

Meuniers

Av. de la Pte de Charenton

M PTE DE CHARENTON

R. F. de
Béhagle

Cimetière
Valmy

Bd

de Charenton

Poniatowski

PTE DE
BERCY

P

Centre

U

300

PTE DE BERCY

R. du Gén.
Langle
de Cary

A4

Coriolis

Musée des
Forains

Roy

Echelle : 1cm = 140 mètres

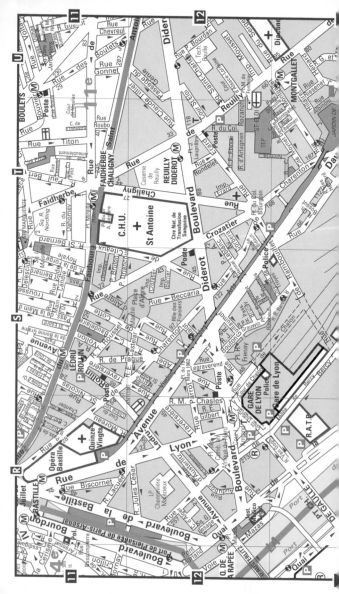

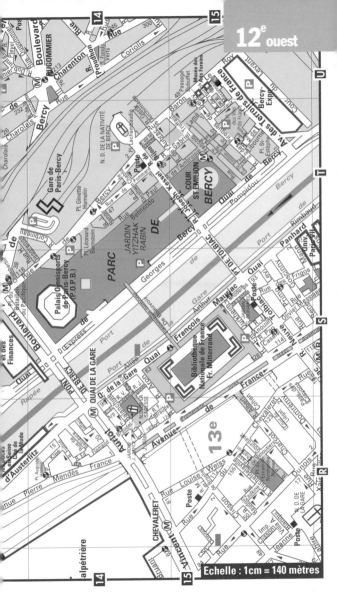

Echelle : 1cm = 140 mètres

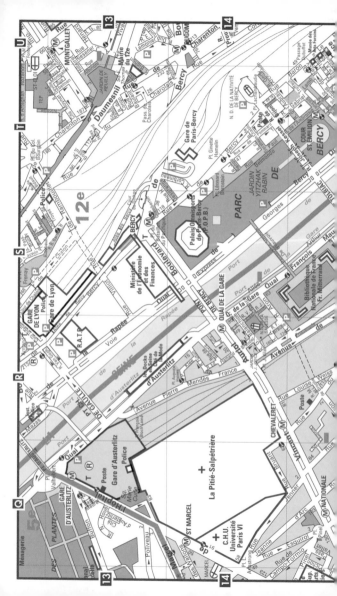

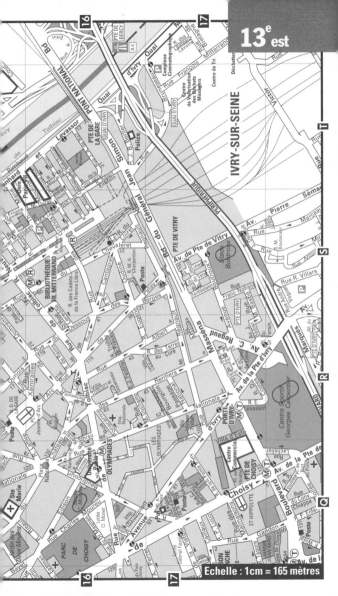

IVRY-SUR-SEINE

PARC DE CHOISY

BIBLIOTHÈQUE FR. MITTERRAND

Centre de Vidéosurveillance des Bacheliers Monsabert

Complexe Cinématographique

LES OLYMPIADES

Centre Sportif Georges Carpentier

Centre commercial

PTE DE BERCY

PTE DE LA GARE

PTE DE VITRY

PORTE D'IVRY

PTE D'IVRY

PTE DE CHOISY

PONT NATIONAL

Quai d'Ivry

Quai

Bd National

Av. de la Pte d'Ivry

Boulevard

Av. de la Pte de Vitry

Bd DE VITRY

Masséna

Echelle : 1cm = 165 mètres

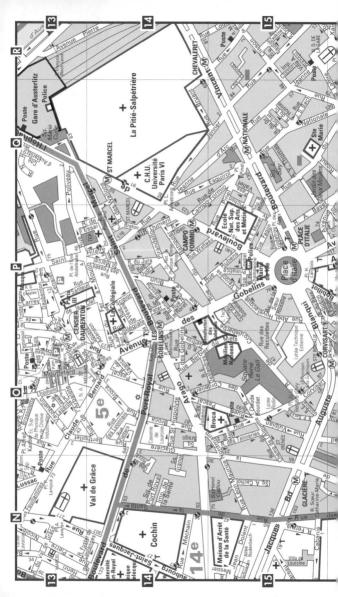

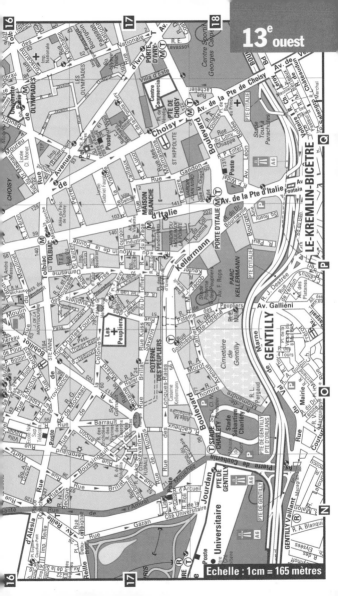

LE-KREMLIN-BICÊTRE

Echelle : 1cm = 165 mètres

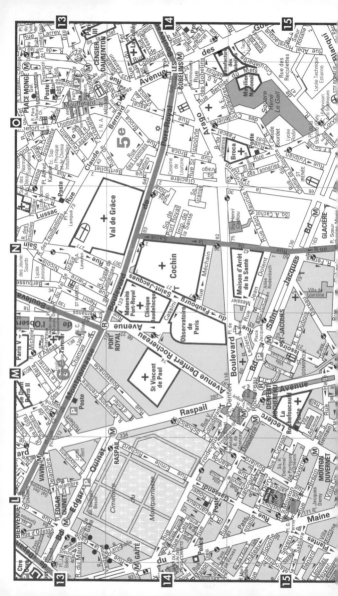

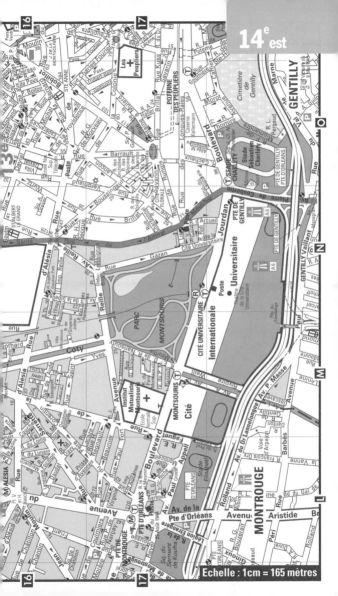

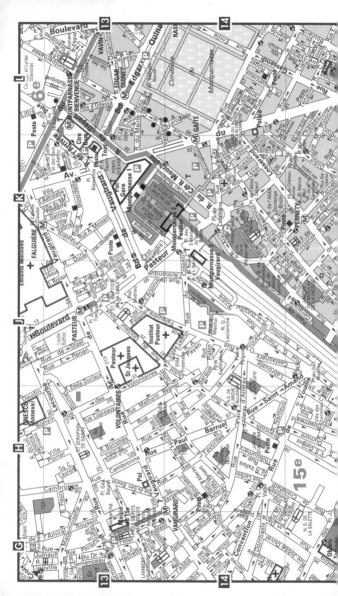

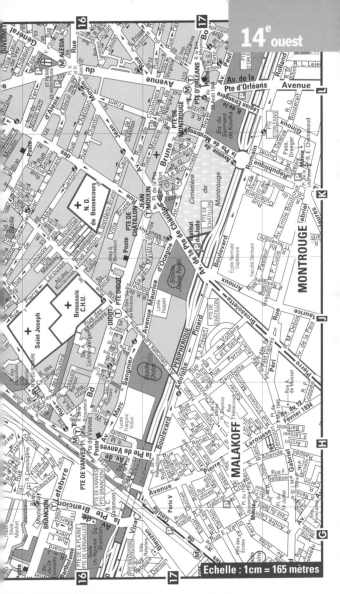

Echelle : 1cm = 165 mètres

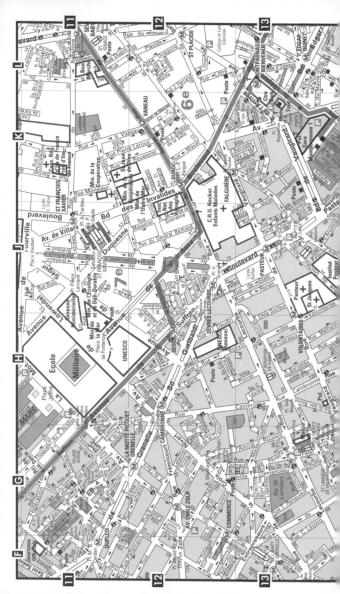

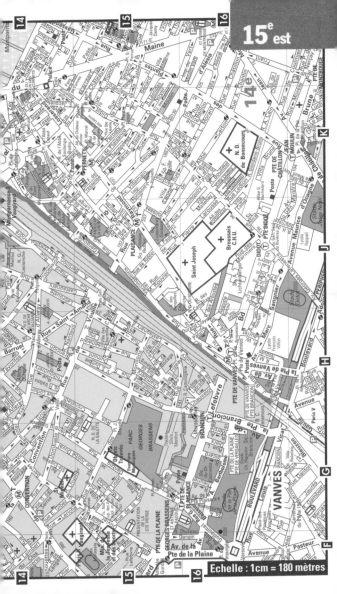

Echelle : 1cm = 180 mètres

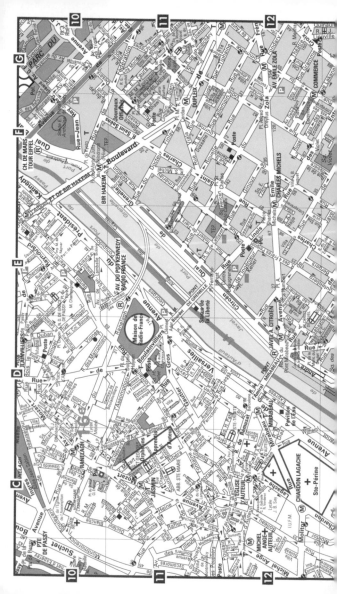

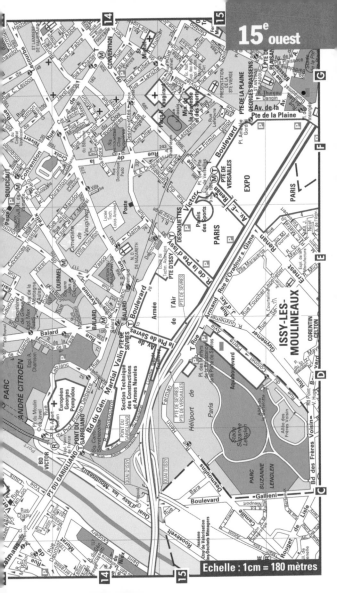

Echelle : 1cm = 180 mètres

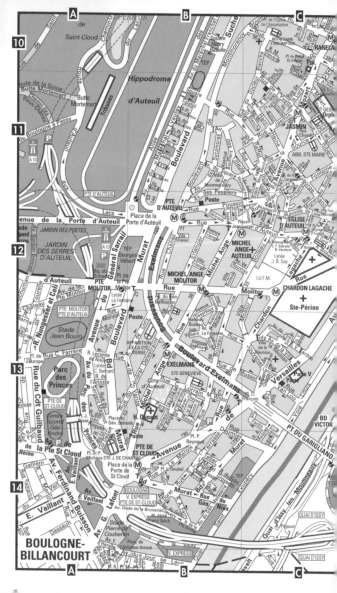

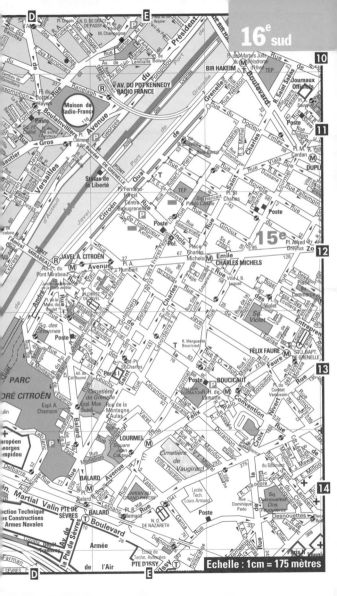

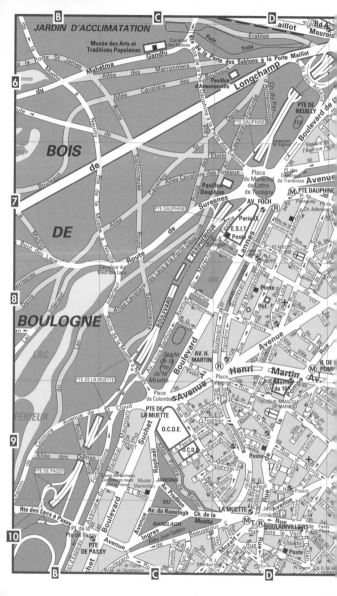

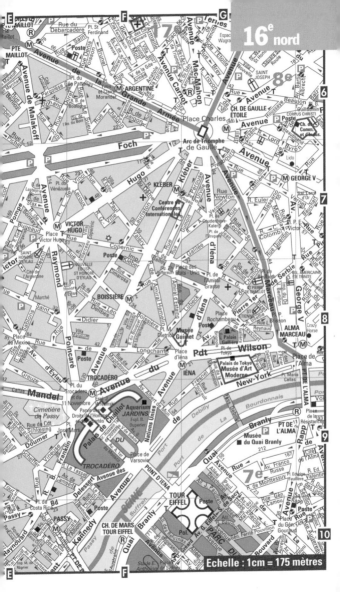

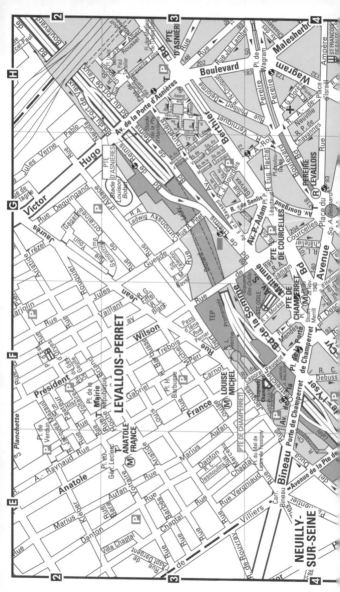

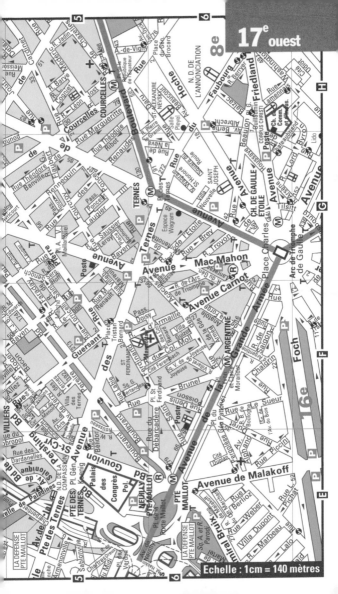

Echelle : 1cm = 140 mètres

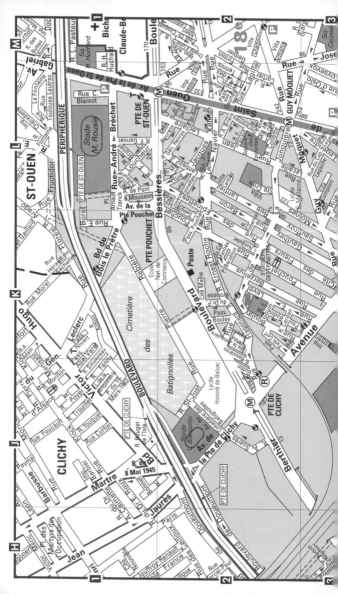

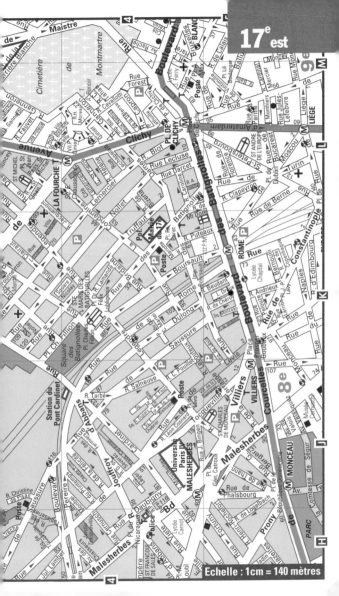

Echelle : 1cm = 140 mètres

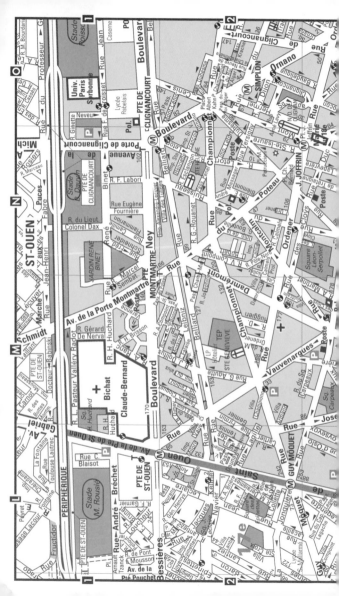

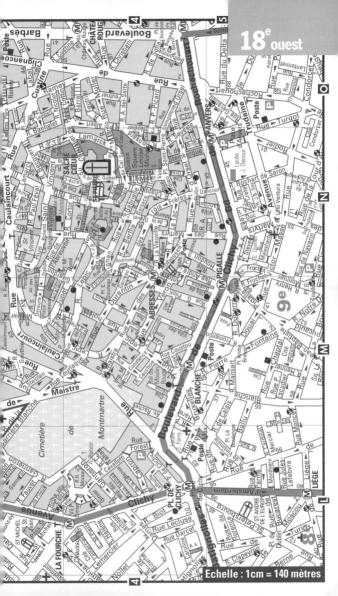

Echelle : 1cm = 140 mètres

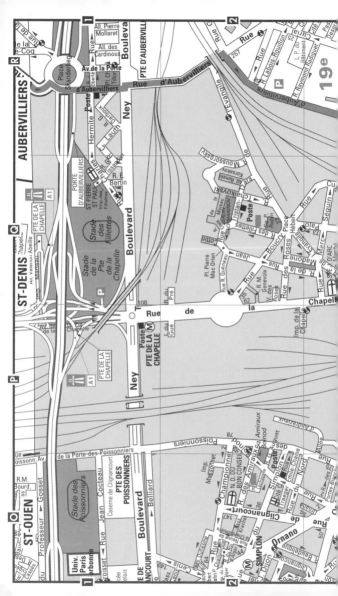

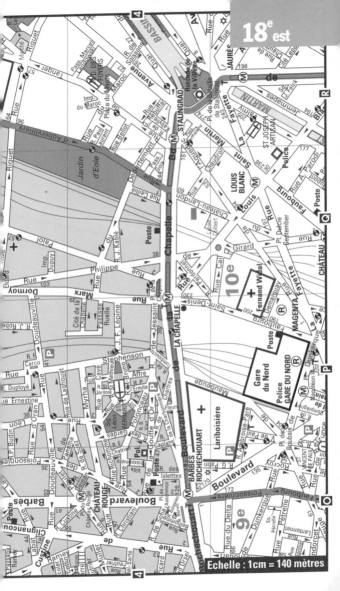

Echelle : 1cm = 140 mètres

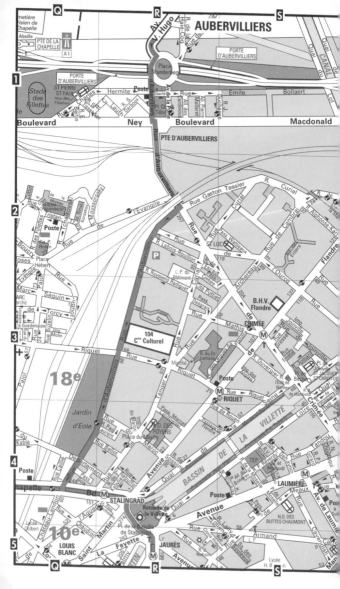

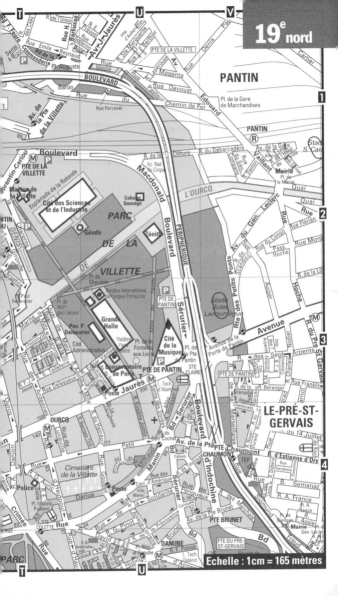

PANTIN

PTE DE LA VILLETTE

BOULEVARD

L'OURCQ

Macdonald

PARC

DE LA

VILLETTE

Cité des Sciences
et de l'Industrie

Géode

Zénith

PTE DE
PANTIN

Théâtre International
de la langue Française

Grande
Halle

Cité
de la
Musique

PTE DE PANTIN

Conservatoire
de Paris

PTE DE PANTIN

Poste Jaurès

**LE-PRÉ-ST-
GERVAIS**

Stade
Jules
Ladoumègue

Avenue

OURCQ

Cimetière
de la Villette

CHAUMONT

Police

PTE BRUNET

DANUBE

PTE DU
PRÉ-ST-
GERVAIS

Mairie

Echelle : 1cm = 165 mètres

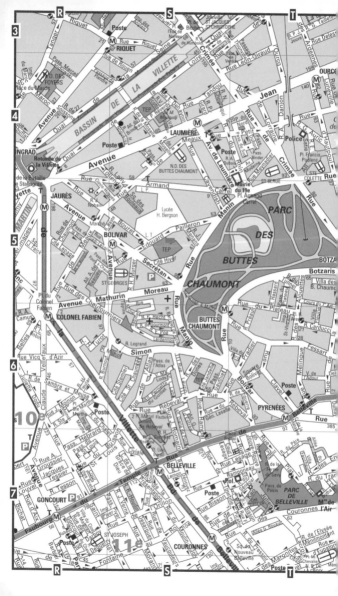

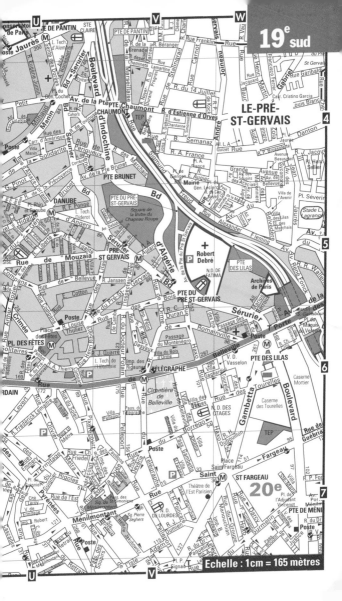

Echelle : 1cm = 165 mètres

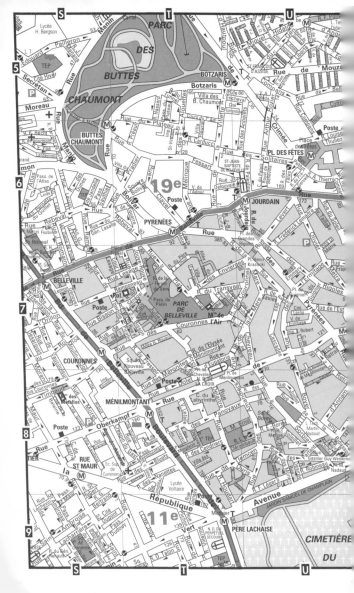

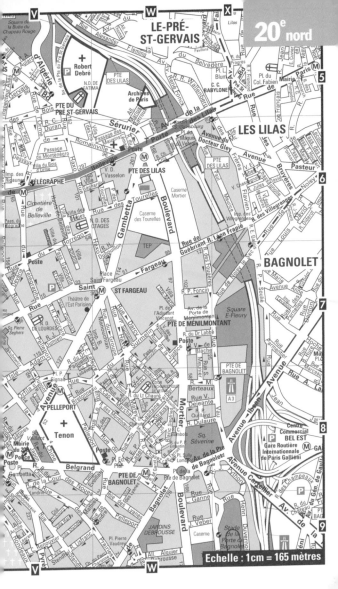

LE-PRÉ-ST-GERVAIS

LES LILAS

BAGNOLET

PTE DES LILAS

PTE DE MÉNILMONTANT

PTE DE BAGNOLET

Echelle : 1cm = 165 mètres

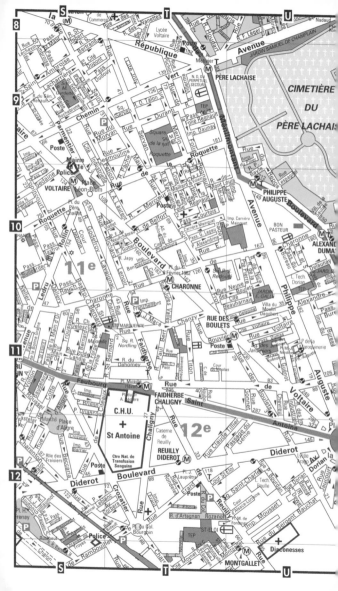

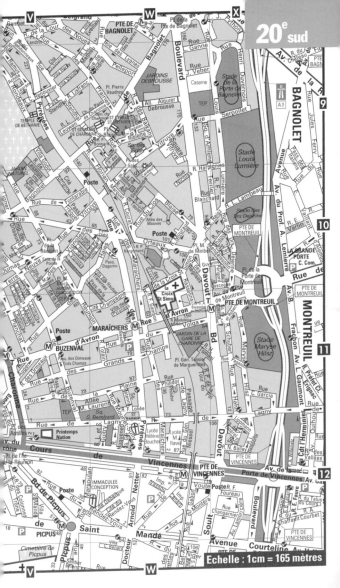

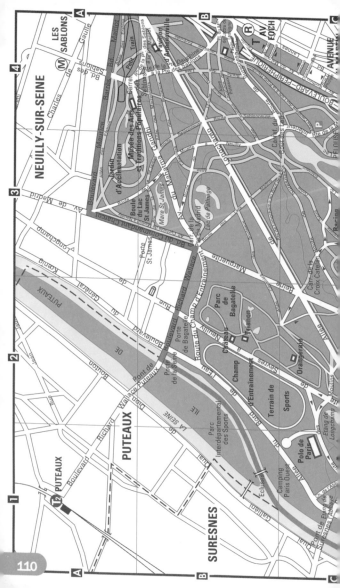

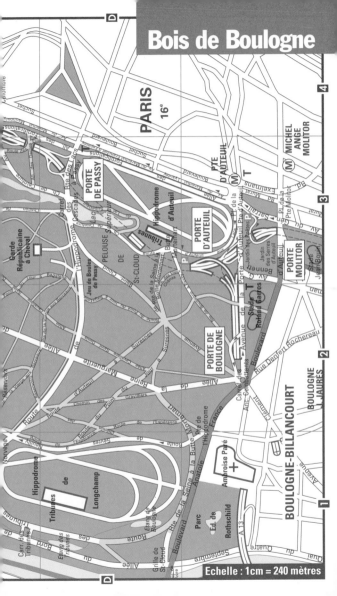

Bois de Boulogne

Echelle : 1cm = 240 mètres

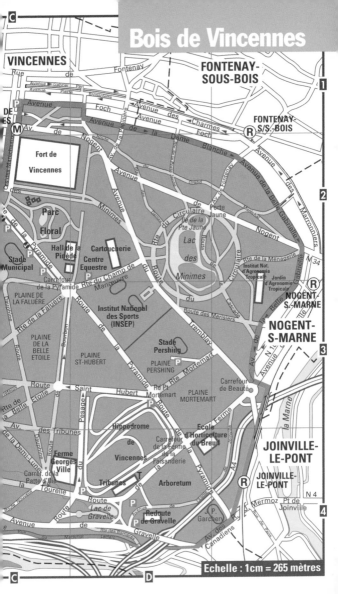

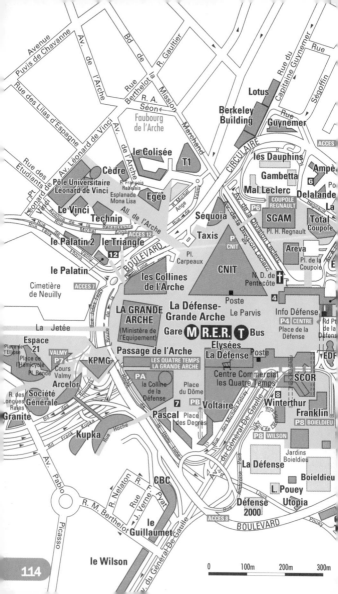

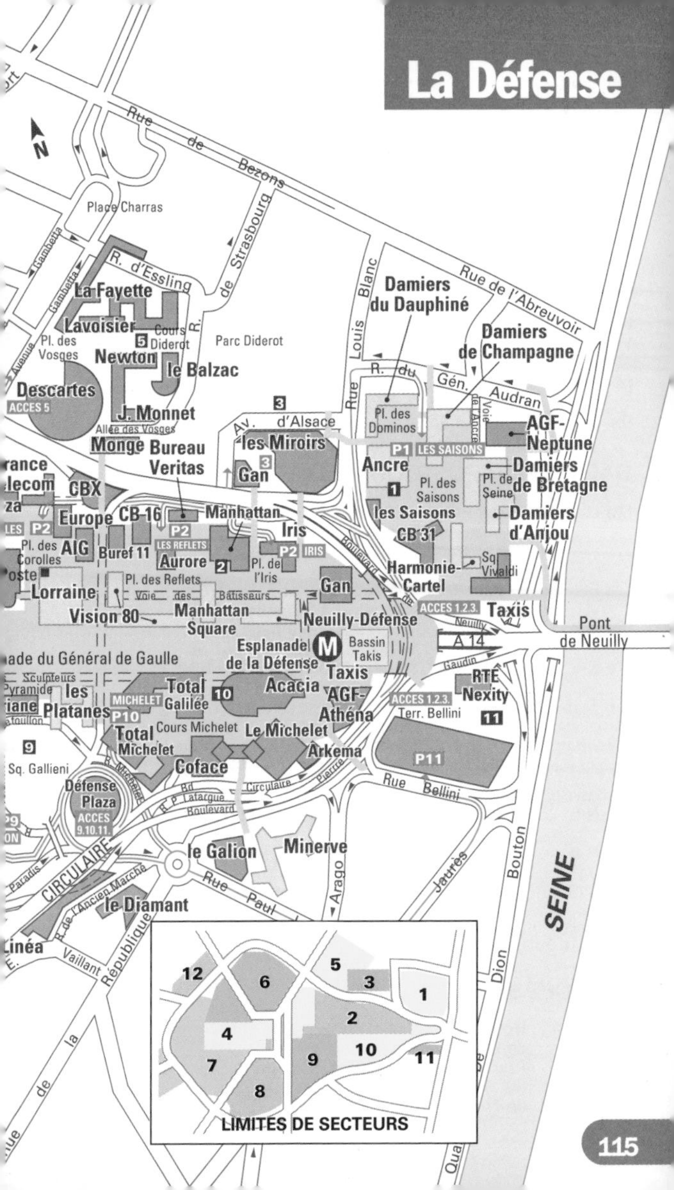

La Défense

N

Place Charras

Rue de Bezons

R. d'Essling

Rue de Strasbourg

Blanc

Rue de l'Abreuvoir

La Fayette

Lavoisier

Cours Diderot

Parc Diderot

Pl. des Vosges

Newton

le Balzac

Descartes

ACCES 5

J. Monnet

Allée des Vosges

Monge Bureau Veritas

Av. d'Alsace

les Miroirs

Gan

3

Louis

R. du Gén. Audran

Damiers du Dauphiné

Damiers de Champagne

Pl. des Dominos

P1

LES SAISONS

AGF-Neptune

Ancre

1

Pl. des Saisons

les Saisons

CB 31

Pl. de Seine

Damiers de Bretagne

Damiers d'Anjou

rance lecom za

CBX

Europe

CB 16

AIG

Buref 11

Manhattan

P2

LES REFLETS

Aurore

2

Iris

P2

IRIS

Pl. de l'Iris

Sq. Vivaldi

Harmonie-Cartel

ACCES 1.2.3

Taxis

LES

P2

Pl. des Corolles

oste

Lorraine

Pl. des Reflets

Vision 80

Gan

Manhattan Square

Voie des Bâtisseurs

Neuilly-Défense

Pont de Neuilly

A 14

Esplanade de la Défense

M

Bassin Takis

Taxis

Isaudin

SEINE

ade du Général de Gaulle

Sculpteurs

yramide

les Platanes

llion

MICHELET

Total Galilée

P10

Acacia

10

AGF-Athéna

ACCES 1.2.3

Terr. Bellini

RTE Nexity

11

9

Sq. Gallieni

Total Michelet

Cours Michelet

Le Michelet

Arkema

P11

Coface

Rue Bellini

Bouton

Rue

Dion

ON

Défense Plaza

ACCES 9.10.11

CIRCULAIRE

Bd P. Lafargue

Boulevard

le Galion

Minerve

Rue Pierre

Circulaire

Rue Paul

Arago

Jaurès

Quai

le Diamant

de l'ancien Marché

Rue de la République

néa

Vaillant

de

la

LIMITES DE SECTEURS

12   6   5   3   1

4   2

7   9   10   11

8

RENSEIGNEMENTS PRATIQUES

ADMINISTRATIONS PUBLIQUES

4e	Q-11	**Préfecture de Paris,** 17, bd Morland (M° Sully-Morland)
		ℂ 01 49 28 40 00 www.paris.pref.gouv.fr
8e	H-6	**Chambre de Commerce et d'Industrie de Paris,** 27, av. Friedland (M° Ch.-de-Gaulle-Étoile) ℂ 01 55 65 55 65
15e	G-15	**Objets Trouvés,** 36, rue des Morillons (M° Convention)
		ℂ 0 821 00 25 25 (0,12 €/mn)
1er	N-10	**Palais de Justice,** 4, bd du Palais (M° Cité) ℂ 01 44 32 50 50
4e	P-10	**Tribunal Administratif,** 7, rue de Jouy (M° Saint-Paul)
		ℂ 01 44 59 44 00
4e	O-10	**Tribunal de Commerce,** 1, quai de Corse (M° Cité)
		ℂ 0 891 01 75 75 (0,22 €/mn)
1er	O-10	**Tribunal de Grande Instance,** 4, bd du Palais (M° Cité)
		ℂ 01 44 32 51 51

SALLES D'EXPOSITIONS - SALONS - FOIRES

12e	U-4	**Bercy - Expo,** 40, avenue des Terroirs de France (M° Cour-St-Emilion) ℂ 01 44 74 50 00
		CNIT - Paris - La Défense, (M° Grande Arche-La Défense) ℂ 01 72 72 17 00
17e	F-4	**Espace Champerret,** place de la Porte Champerret (M° Pte-Champerret) ℂ 01 72 72 17 00
19e	T-2	**Centre des Congrès de La Villette,** 30, avenue Corentin Cariou (M° Porte de la Villette) ℂ 01 40 05 81 58
17e	E-5	**Palais des Congrès,** 2, pl. Porte Maillot (M° Pte-Maillot) ℂ 01 40 68 22 22
15e	F-15	**Paris Expo (Parc des Expositions)** Porte de Versailles, (M° Pte-de-Versailles) ℂ 01 72 72 17 00
Hors-Plan		**Parc des Expositions de Paris Nord** (Villepinte) Z.A.C. Paris-Nord II (RER B) ℂ 01 48 63 30 30

Salles des Ventes - Antiquités :

9e	N-6	**Drouot-Richelieu,** 9, rue Drouot (M° Richelieu-Drouot) ℂ 01 48 00 20 20
8e	H-8	**Drouot-Montaigne,** 15, avenue Montaigne (M° Alma-Marceau) ℂ 01 48 00 20 80
1er	M-9	**Louvre des Antiquaires,** 2, place du Palais-Royal (M° Palais-Royal - Mᵉᵉ du Louvre) ℂ 01 42 97 27 27
15e	G-11	**Village Suisse,** 78, avenue de Suffren (M° La Motte-Picquet).
4e	Q-11	**Village Saint-Paul,** rue Saint-Paul (M° Saint-Paul).

MARCHÉS SPÉCIALISÉS

N-10/O-11	**Bouquinistes,** quais rive gauche et rive droite en regard de l'Ile de la Cité
18e N-1	**Puces de Clignancourt,** porte de Clignancourt (M° Pte-de-Clignancourt), les samedis, dimanches, lundis de 7h à 19h30.

4e H-16	**Puces de Vanves,** porte de Vanves
	(M° Porte-de-Vanves), les samedis, dimanches de 7h à 19h30.
0e X-11	**Puces de Montreuil,** porte de Montreuil (M° Porte-de-Montreuil),
	les samedis, dimanches, lundis de 7h à 19h30.
8e N-1	**Marché à la Ferraille,** rue Jean-Henri-Fabre
	(M° Porte-de-Clignancourt).
	les samedis, dimanches, lundis de 7h à 19h30.
e O-10	**Marché aux Oiseaux,** place Louis-Lépine, (M° Cité).
e J-8	**Marché aux Timbres,** avenue de Marigny
	(M° Ch-Élysées-Clemenceau).
	Marchés aux Fleurs :
e O-10	place Louis-Lépine, (M° Cité).
e L-7	place de la Madeleine, (M° Madeleine).
7e G-6	place des Ternes, (M° Ternes).
	Marchés Biologique :
e L-12	bd Raspail, (M° Rennes), dimanche 9h-14h.
e L-5	bd des Batignoles, (M° Rome), samedi 9h-14h.
4e K-14	place Brancusi, (M° Gaîté), samedi 9h-14h.
	Marchés de la Création :
1e R-10	Bastille, bd Richard Lenoir, (M° Bastille), samedi 9h-19h30.
4e L-13	bd Edgar Quinet, (M° Edgar Quinet), dimanche 9h-19h30.

NFORMATIONS

Informations Boursières (12h à 16h), ✆ 08 92 68 84 84
Informations Parlées, ✆ 08 92 68 10 33
Météo - Ile de France, ✆ 08 92 68 02 75
Horloge Parlante, ✆ 36 99

LES JEUNES À PARIS

5e F-10	**Centre d'Information et de Documentation pour la Jeunesse (CIDJ),**
	101, quai Branly (RER Bir-Hakeim) ✆ 01 44 49 12 00
2e X-13	**Centre International de Séjour à Paris,** 6, avenue Maurice Ravel
	(M° Pte-de-Vincennes) ✆ 01 44 75 60 06
4e N-15	**Foyer International d'Accueil de Paris,** 30, rue Cabanis
	(M° Glacière) ✆ 01 43 13 17 00
	Kiosque Paris Jeunes :
e Q-11	Bastille, 25, bd Bourdon (M° Bastille) ✆ 01 42 76 22 60
5e F-10	Champs-de-Mars, 101, quai Branly (M° Bir Hakeim)
	✆ 01 43 06 15 38

POSTES

es bureaux de Poste sont ouverts au public du lundi au vendredi
e 8h à 19h et le samedi de 8h à 12h, sauf :

er N-8	**Paris Louvre** (recette principale), 52, rue du Louvre
	(ouvert 24h/24h) ✆ 01 40 28 76 00.
er O-9	**Paris Forum des Halles,** 1, rue Pierre-Lescot
	(RER Châtelet-les Halles) ✆ 01 44 76 84 60, du lundi au vendredi
	de 10h à 18h , le sam. de 9h à 12h.
e G-10	**Paris Tour Eiffel (1er étage),** Champ de Mars
	(RER Champ-de-Mars) ✆ 01 45 51 05 78

8e H-7 **Paris Champs-Élysées,** 71, avenue des Champs-Élysées
(M° Ch.-Élysées-Clemenceau) ℰ 01 53 89 05 80, tous les jours
de 8h à 22h, dimanche et jours fériés de 10h à 12h et de 14h à 20h.
Service client la Poste ℰ indigo 0 820 80 8000 (0,12 €/mn)

Argent :
15e H-14 **CCP,** 16, rue des Favorites (M° Vaugirard) ℰ 01 53 68 33 33
Audioposte ℰ 08 97 65 50 10
Chéquiers, Cartes Bleues (perdus, volés) :
Chéquiers ℰ 08 92 68 32 08 (0,34 €/mn)
Carte Bleue / Visa ℰ 08 92 705 705 (0,34 €/mn)
Eurocard / Mastercard ℰ 01 45 67 84 84
Diner's Club ℰ 0 810 314 159 (prix d'un appel local)
American Express ℰ 01 47 77 72 00

SANTÉ - ENTRAIDE - SECOURS

4e	O-10	**Hôtel Dieu,** 1, place du Parvis Notre Dame, ℰ 01 42 34 82 34
5e	P-14	**La Collégiale,** 33, rue du Fer à Moulin, ℰ 01 45 35 28 35
5e	P-14	**Sport (Clinique du),** 36 bis, boulevard Saint Marcel, ℰ 01 40 79 40 00
5e	N-14	**Val de Grâce,** 74, boulevard de Port Royal, ℰ 01 40 51 40 00
10e	Q-5	**Fernand Widal,** 200, rue du Faubourg St Denis, ℰ 01 40 05 45 45
10e	P-5	**Lariboisière,** 2, rue Ambroise Paré, ℰ 01 49 95 65 65
10e	P-6	**Saint Lazare,** 107,rue du Faubourg St Denis, ℰ 01 48 00 55 55
10e	R-6	**Saint Louis,** 1, avenue Claude Vellefaux, ℰ 01 42 49 49 49
12e	W-13	**Armand Trousseau,** 26, avenue du Docteur Arnold Netter, ℰ 01 44 73 74 75
12e	R-11	**Quinze Vingts,** 28, rue de Charenton, ℰ 01 40 02 15 20
12e	V-13	**Rothschild,** 33, boulevard de Picpus, ℰ 01 40 19 30 00
12e	T-12	**Saint Antoine,** 184, rue du Faubourg St Antoine, ℰ 01 49 28 20 00
13e	O-15	**Broca,** 54/56, rue Pascal, ℰ 01 44 08 30 00
13e	Q-14	**Pitié Salpêtrière (La),** 47/83, boulevard de l'Hôpital, ℰ 01 42 16 00 00
14e	J-16	**Broussais,** 96, rue Didot, ℰ 01 43 95 95 95
14e	N-14	**Cochin,** 27, rue du Faubourg St Jacques, ℰ 01 58 41 41 41
14e	K-16	**N. D. de Bon Secours,** 66, rue des Plantes, ℰ 01 40 52 40 52
14e	N-14	**Port Royal - Baudelocque,** 123, boulevard de Port Royal, ℰ 01 58 41 19 23
14e	M-15	**Rochefoucauld (La),** 15, avenue du Général Leclerc, ℰ 01 44 08 30 00
14e	J-16	**Saint Joseph,** 185, rue Raymond Losserand, ℰ 01 44 12 33 33
14e	M-14	**Saint Vincent de Paul,** 82, avenue Denfert Rochereau, ℰ 01 40 48 81 11
14e	N-16	**Sainte Anne (Hôpital spécialisé),** 1, rue Cabanis, ℰ 01 45 65 80 00
15e	D-14	**Européen Georges Pompidou,** Rue Leblanc, ℰ 01 56 09 20 00
15e	J-12	**Necker - Enfants Malades,** 149/161, rue de Sèvres, ℰ 01 44 49 40 00
15e	J-13	**Institut Pasteur,** 211, rue de Vaugirard, ℰ 01 40 61 38 00
15e	F-15	**Vaugirard,** 10, rue Vaugelas, ℰ 01 40 45 80 00
16e	C-12	**Sainte Périne Rossini - Chardon Lagache,**

11, rue Chardon Lagache, 📞 01 44 96 31 31

e M-1 **Bichat - Claude Bernard,** 46, rue Henri Huchard, 📞 01 40 25 80 80
e M-31 **Bretonneau,** 23, rue Joseph de Maistre, 📞 01 53 11 18 00
e S-5 **Adolphe de Rotschild (Ophtalmologie),** 25, rue Manin, 📞 01 48 03 65 65
e W-6 **Maussins,** 67, rue de Romainville, 📞 01 40 03 12 12
e V-5 **Robert Debré,** 48, boulevard Sérurier, 📞 01 40 03 20 00
e V-8 **Tenon,** 4, rue de la Chine, 📞 01 56 01 70 00

ervices Médicaux d'Urgence :
    SAMU (Service d'Aide Médicale d'Urgence) 📞 **15**
    SOS Médecin, 📞 01 47 07 77 77
    Urgences Médicales de Paris, 📞 01 53 94 94 94
    Centre de Soins aux Brûlés (Hôpital Foch, 92150 Suresnes), 📞 01 46 25 20 00
    Centre Anti-Poison (Hôpital Fernand Widal - 10e), 📞 01 40 05 48 48
    Centre Anti-Drogue (Hôpital Marmottan - 17e), 📞 01 45 74 00 04
    Recherche d'un Proche Hospitalisé, tous Commissariats.
    SOS Vétérinaire, 📞 08 92 68 99 33

TRANSPORTS

A.T.P.   www.ratp.fr
e R-13   (siège), 54, quai de la Rapée (M° Quai-de-la-Rapée) 📞 01 44 68 20 20
    Informations Pratiques - 24h/24h,
    📞 0892 68 7714 (0,34 €/mn) (tarifs, trajets).
    Info flash - 24h/24h, 📞 0810 03 04 05 (tarif local).

arifications :

MÉTRO : Le tarif est unique et indépendant de la distance.
    Un billet est valable pour un quelconque parcours et permet la libre
    correspondance entre les lignes y compris les lignes RER incluses
    dans la section urbaine (Zone 1).
RER :   **Le tarif est variable selon la ligne et la distance.**
BUS :   **Dans Paris et en Banlieue** 1 seul ticket quel que soit le parcours
    sur une même ligne, à l'exception de quelques lignes rapides
    (Orlybus, Roissybus, 221, 297, 299, 350, 351...) et Balabus.
NOCTILIEN :   www.noctilien.fr
    Un ticket "**t**" pour les deux premières zones tarifaires empruntées,
    puis un ticket "**t**" par zone supplémentaire. Les abonnements
    Intégrale, Carte Orange, Imagine "R" et Mobilis sont valables
    dans leurs zones.
TRAMWAY :
    1 seul ticket quel que soit le parcours sur 1 même ligne.
Nota :   les tickets Métro et Bus sont identiques et peuvent être achetés
    dans une station de métro ou dans le bus.
Astuce :   le **Ticket t+** permet à l'usager de prendre plusieurs bus et tramway
    en correspondance pendant une durée d'une heure trente.
D'autres formules sont disponibles aux guichets.
Pour bien préparer ses déplacements : www.transport-idf.com
    Transport Ile-de-France vous permet d'effectuer vos recherches
    d'itinéraires, de consulter les horaires et informations trafic pour
    l'ensemble des transports en commun, bus, métros, RER, trains et
    tramways de la région Ile-de-France.

VÉLIB'   www.velib.paris.fr
Le système Vélib' met à votre disposition des vélos robustes et confortables, 24h/24, 7j/7. Grâce au maillage des stations, vous n'êtes jamais à plus de 300 mètres (environ) d'une station.

S.N.C.F.   www.sncf.com
9e L-6   (siège), ☎ 01 52 25 60 00
Grandes Lignes : Information-vente, ☎ 0892 353 353
Horaires, ☎ 0891 67 68 69
Transilien (Réseau Ile de France) **:** www.transilien.com
Conseillers infos, ☎ 0891 36 20 20 (0,23 €/mn)
Horaires par serveur local, ☎ 0890 36 10 10 (0,15 €/mn)
Minitel : **3615 SNCFIDF**
Renseignements Fret, ☎ 01 40 48 12 65
Service Bagages, ☎ 0825 845 845 (0,15 €/mn)

GARES S.N.C.F.
13e Q-13   **Austerlitz :** Métro lignes 5 et 10 - RER C
10e P-6   **Est :** Métro lignes 4, 5 et 7
12e S-13   **Lyon :** Métro lignes 1 et 14 - RER A et D
15e K-13   **Montparnasse :** Métro lignes 4, 6, 12 et 13
10e P-5   **Nord :** Métro lignes 4 et 5 - RER B, D et E
9e L-6   **Saint-Lazare :** Métro lignes 3, 12, 13 et 14 - RER E

Compagnies de Taxis :
Un numéro unique pour appeler son taxi ☎ 01 45 30 30 30,
ou contacter directement les différentes compagnies :
ALPHA-TAXIS ☎ 01 45 85 85 85
ARTAXI ☎ 01 42 41 50 50
TAXIS G7 ☎ 01 47 39 47 39
TAXIS BLEUS ☎ indigo 0825 16 10 10

Préfecture de Police, Service des Taxis, 36, rue des Morillons,
(informations, réclamations) ☎ 01 55 76 20 11

Aéroports :
Orlybus, Roissybus, ☎ 0892 68 77 14 (0,45 €/mn)
Cars Air France, ☎ 0892 350 820
Aéroport de Roissy-Charles De Gaulle ☎ 01 48 62 22 80
Aéroport d'Orly, ☎ 01 49 75 15 15
Aéroport du Bourget, ☎ 01 48 62 12 12
15e D-15   **Héliport de Paris,** 4, avenue de la Porte de Sèvres
☎ 01 45 54 04 44

Vols :   Arrivées - Départs de Paris, ☎ 0892 68 15 15   www.adp.fr

Informations Routières   www.sytadin.tm.fr *(Etat du trafic en Ile-de-France)*
Autoroute Informations ☎ 08 92 68 10 77
Informations Voirie (réglementation, stationnement, travaux),
☎ 01 40 28 73 73
Centre Régional d'Information et de Coordination Routière,
☎ 01 48 99 33 33
Accidents de la Circulation (Préfecture de Police),
☎ 01 44 08 62 70
FIP - FM 105.1, circulation à Paris, ☎ 01 42 20 12 34
France Bleue - FM 107.1 *la City Radio de Paris*

PROMENADES

e	F-9	**Batobus,** port de la Bourdonnais (Pont-d'Iéna), ☎ 01 44 11 33 99	
e	H-8	**Bateaux-Mouches,** embarcadère Pont de l'Alma (M° Alma-Marceau), ☎ 01 42 25 96 10	
e	O-11	**Bateaux Parisiens Notre-Dame,** embarcadère Quai de Montebello (RER Saint-Michel - Notre-Dame), ☎ 01 43 26 92 55	
e	F-9	**Bateaux Parisiens Tour Eiffel,** embarcadère port de la Bourdonnais (M° Trocadéro), ☎ 0 825 01 01 01 (0,15 €/mn)	
er	N-10	**Vedettes du Pont Neuf,** embarcadère square du Vert-Galant (M° Pont-Neuf), ☎ 01 46 33 98 38	
9e	S-4	**Paris Canal,** 19, quai de la Loire (M° Jaurès), ☎ 01 42 40 96 97	
9e	S-4	**Canauxrama,** 13, quai de la Loire (M° Jaurès), ☎ 01 42 39 15 00	

THÉÂTRES - SALLES DE SPECTACLES - CINÉMAS

Différentes publications hebdomadaires, concernant les programmes des spectacles parisiens et de banlieue, sont en vente en librairies et en kiosques.

e	L-7	**Kiosque Madeleine,** 15, place de la Madeleine (M° Madeleine), pour obtenir des places à moitié prix le jour même de la représentation.

ATTRACTIONS

aris :

e	Q-13	**Ménagerie/Jardin des Plantes,** (RER C, M° Gare-d'Austerlitz) ☎ 01 40 79 30 00
6e	B-6	**Jardin d'Acclimatation,** (RER C, M° Porte-Maillot) ☎ 01 40 67 90 82
9e	U-2	**Cité des Sciences et de l'Industrie,** (M° Porte-de-la-Villette) ☎ 0892 69 70 72 (0,34 €/mn)
2e	X-15	**Parc zoologique de Paris (Zoo de Vincennes),** (M° Porte-Dorée) ☎ 01 44 75 20 00
6e	F-9	**Aquarium du Trocadéro,** (M° Trocadéro) ☎ 01 40 69 23 23

e-de-France :

Disneyland Paris, (RER A, Chessy-Marne la Vallée)
☎ 01 60 30 10 20
Parc Astérix, (RER B, Roissy - Ch.-de-Gaulle puis liaison Bus)
☎ 03 44 62 31 31
Thoiry (Parc Zoologique), 78770 Thoiry, ☎ 01 34 87 40 67
Mer de Sable, 60950 Ermenonville ☎ 03 44 54 00 96
France Miniature, 78990 Élancourt ☎ 01 30 16 16 30

MUSÉES

carte "Musées et Monuments" (vente dans les principales stations de métro, musées, monuments et Office de Tourisme de Paris), cette carte permet un nombre de visites illimité dans les musées et monuments de la région parisienne. **lle est valable 1, 3 ou 5 jours.**
☎ 0892 68 31 12 (0,34 €/mn) - www.intermusees.com

1er	M-9	**Arts de la Mode et du Textile (des),** 107, rue de Rivoli
		(M° Palais-Royal - Musée du Louvre) ℭ 01 44 55 57 50
1er	M-9	**Arts Décoratifs (des),** 107, rue de Rivoli
		(M° Palais-Royal - Musée du Louvre) ℭ 01 44 55 57 50
3e	Q-10	**Carnavalet,** 23, rue de Sévigné (M° Saint-Paul)
		ℭ 01 44 59 58 58
19e	T-2 - U-3	**Cité des Sciences et de l'Industrie** - Parc de la Villette
		(M° Pte de la Villette) ℭ 01 44 84 45 00
		Cité de la Musique (M° Pte de Pantin) ℭ 01 44 84 45 00
5e	N-11	**Cluny,** 6, rue Paul-Painlevé (M° Cluny-la-Sorbonne)
		ℭ 01 53 73 78 00
9e	N-7	**Grévin,** 10, boulevard Montmartre (M° Rue Montmartre)
		ℭ 01 47 70 85 05
5e	Q-13	**Museum National d'Histoire Naturelle, Jardin des Plantes,**
		57, rue Cuvier (M° Jussieu) ℭ 01 40 79 30 00 -
		Grande Galerie de l'Évolution, 36 rue Geoffroy Saint-Hilaire
		(M° Jussieu) ℭ 01 40 79 54 79
16e	F-9	**Homme (de l')** - Palais de Chaillot,17, place du Trocadéro
		(M° Trocadéro) ℭ 01 44 05 72 72
1er	M-9	**Louvre (du),** 34-36, quai du Louvre
		(M° Palais Royal-Musée du Louvre) ℭ 01 40 20 51 51
16e	F-9	**Marine (de la)** - Palais de Chaillot, 17, place du Trocadéro
		(M° Trocadéro) ℭ 01 53 65 69 69
16e	G-8	**Mode et du Costume (de la)** - Palais Galliéra,
		10, avenue Pierre Ier de Serbie (M° Iéna) ℭ 01 56 52 86 00
6e	M-12	**Musée du Luxembourg** - 19, rue de Vaugirard
		(RER Luxembourg, M° Odéon) ℭ 0892 684 694
7e	G-9	**Musée du quai Branly, Arts et Civilisations d'Afrique, d'Asie**
		d'Océanie et des Amériques - 37, quai Branly et
		218, rue de l'Université (RER Pont de l'Alma) ℭ 01 56 61 70 00
4e	O-9	**National d'Art Moderne** - Centre G.- Pompidou,
		19, rue Beaubourg (M° Rambuteau) ℭ 01 44 78 12 33
1er	K-8	**Orangerie des Tuileries (de l'),** Place de la Concorde
		(M° Concorde) ℭ 01 42 97 48 16
7e	L-9	**Orsay (d'),** 1, rue Bellechasse (RER Musée d'Orsay)
		ℭ 01 45 49 11 11
8e	J-8	**Palais de la Découverte,** avenue Franklin Roosevelt
		(M° Franklin-D.- Roosevelt) ℭ 01 56 43 20 21
8e	J-8	**Petit-Palais (du),** 1, avenue Dutruit
		(M° Ch.-Élysées-Clemenceau) ℭ 01 44 51 19 31
1er	M-9	**Publicité (de la),** 107, rue de Rivoli (M° Louvre-Rivoli)
		ℭ 01 44 55 57 50

PARCS ET JARDINS - CIMETIÈRES

Parcs et Jardins :
12e	R-11	**Arsenal** (port de l'), au cœur de Paris, verdure et port de
		plaisance, (M° Bastille).
15-14e	K13	**Atlantique** (jardin), 55, Bd de Vaugirard, aménagé sur la dalle
		recouvrant les voies de la gare, (M° Montparnasse-Bienvenüe).
19e	S-5	**Buttes-Chaumont** (parc des), le pont dit "des suicidés" mène a
		lac d'où surgit une masse rocheuse, (M° Buttes-Chaumont).
p123	C-2	**Floral du Bois de Vincennes** (parc), 30 ha aux espèces florales
		variées, des pavillons aux multiples expositions ainsi qu'une grande
		aire de jeux pour les enfants.

e G-15	**Georges-Brassens** (parc), sa vigne, ses ruches et son jardin de plantes odorantes (conçu pour les aveugles) en font sa particularité, (M° Convention), situé à l'emplacement des anciens abattoirs de Vaugirard.
r O-9	**Halles** (jardin), au cœur de Paris, un mail planté de tilleuls, des voûtes verdoyantes et des jeux pour les enfants (RER, M° Châtelet-les-Halles).
J-9	**Invalides** (jardin des), un large fossé le délimite, 18 canons sont alignés le long des remparts, (M° Latour-Maubourg).
M-12	**Luxembourg** (jardin du), très ombragé, c'est le lieu de rencontre des étudiants. Séances de marionnettes, (M° Luxembourg).
J-5	**Monceau** (parc), belles grilles en fer forgé, nombreuses statues disposées parmi des arbres aux essences variées : érable, sycomore, ginkgo biloba... (M° Monceau).
r N-8	**Palais-Royal** (jardin du), un cadre majestueux et élégant (façade de Victor Louis) et nombreux commerces sous les galeries, (M° Palais- Royal - Musée du Louvre).
e Q-12	**Plantes** (jardin des), quai St-Bernard, (RER, M° Gare d'Austerlitz).
e F-9	**Trocadéro** (jardins du), ils datent de l'exposition de 1937 et sont appréciés pour leur profil accidenté agrémenté du bassin central aux puissants jets d'eau, (M° Trocadéro).
Q-12	**Tino Rossi** (jardin), emplacement du musée de la Sculpture en plein air, (RER, M° Gare-d'Austerlitz).
r L-M-9	**Tuileries** (jardin des)-**Carrousel** (jardin du), l'un et l'autre en pro longement, ils promettent une longue promenade parmi des statues de Rodin ou de Maillol en contournant le bassin octogonal (location de petits voiliers) (M° Tuileries).
	Bois de Boulogne, 846 hectares agrémentés de 7 lacs, de jardins (serres d'Auteuil), à découvrir en parcourant les sentiers balisés, Hippodromes.
	Bois de Vincennes, 995 hectares comprenant le Lac Daumesnil, le Parc Floral, le Jardin Tropical, l'Hippodrome, 60 km de sentiers balisés...

Fédération Française de Randonnée
📞 01 44 89 93 90 - www.ffrp.asso.fr

metières :

e U-9	**Père-Lachaise,** le plus grand et le plus intéressant de la capitale, les nombreux monuments d'hommes célèbres sont une des principales invitations à sa visite, (M° Père Lachaise).
e M-4	**Montmartre**, quelques noms prestigieux : Sacha Guitry, Hector Berlioz, François Truffaut, Edgar Degas ou encore Dalida...(M° Pl. de Clichy).
e L-14	**Montparnasse,** Guy de Maupassant, Serge Gainsbourg, Bartholdi ou encore André Citroën reposent dans ce cimetière parmi bien d'autres personnages célèbres, (M° Raspail).

12 Ligne de Bus Parisien
Clichy Hôpital Beaujon 74
Asnières-Gennevilliers Gabriel-Péri 54
Clichy
CLICHY V. HUGO 66
Courbevoie
Levallois-Perret
53 PONT DE LEVALLOIS
NEUILLY HÔPITAL AMÉRICAIN 82
GRANDE ARCHE DE LA DEFENSE 73
Balabus
Neuilly-sur-Seine
94 LEVALLOIS LOUISON BOBET
Porte de Clichy
Porte d'Asnières
La Fourche
Puteaux
PC1
84 92 PTE DE CHAMPERRET
Villiers
Courcelles
GARE ST LAZARE 28
NEUILLY PL. DE BAGATELLE 43
PORTE MAILLOT
PC3
CH. DE GAULLE ETOILE 31
93 SURESNES DE GAULLE
52 83 FRIEDLAND HAUSSMANN
20 21 24 27 29
Victor Hugo
Bois de Boulogne
Alma Marceau
TROCADÉRO 30
63
PTE DE LA MUETTE
INVALIDES 93
MUSÉE D'ORSAY 73
Concorde
Porte de Passy
la Muette Boulainvilliers
RADIO FRANCE 70
CHAMP DE MARS 87 69
Ecole Militaire
ST GERMAIN DES PRÉS
A13
PTE D'AUTEUIL 32
Mirabeau
Cambronne
Charles Michels
Place de Breteuil
Hôpital Necker
Parc de St Cloud 52
HÔPITAL EUROPÉEN GEORGES POMPIDOU 42 88
92 94
96 GARE MONTPARNASSE
72 Parc de St Cloud
PTE DU GARIGLIANO PC1 T3
PTE DE ST CLOUD 22 62
Convention Vaugirard
91 MONTPARNASSE
Balard
Boulogne-Billancourt
39
80 PTE DE VERSAILLES
Plaisance
PTE DE VANVES 95
Hôpital Broussais
Issy-les-M.
58 VANVES LYCÉE MICHELET
Vanves
Malakoff
CITÉ UNIVERSITAIRE
89 GARE DE VANVES-MALAKOFF
Montrouge
68 CHÂTILLON MONTROUGE-MÉTRO
ARCUEIL LAPLACE

Bus

Ouen A1

MAIRIE **65** D'AUBERVILLIERS

St-Denis

Aubervilliers

Pantin

Porte de la Chapelle

PC 3

56 PTE DE CLIGNANCOURT

Montmartrobus

80 MAIRIE DU XVIIIᵉ

65

PTE D'AUBERVILLIERS PC 3

54 **75** PC2 PTE DE LA VILLETTE

Le Pré-St-Gervais

Marx Dormoy

60

Crimée

Place de Stalingrad

Porte de Pantin

GARE DU NORD

42 **43**

38 **46**

martrobus

48

Mairie du XIXᵉ

61 PRÉ-ST-GERVAIS

96 JEAN JAURÈS

Les Lilas

A3

GARE DE L'EST

30 **31**

32 **47**

39

Hôpital St Louis

RÉPUBLIQUE

Pyrénées

PC 2

PC3

Place des Fêtes

48 PTE DES LILAS

96

Strasbourg St-Denis

S-ROYAL

Les Halles

HÔTEL DE VILLE

70 **72** **74** **96**

ATELET

GAMBETTA

60 **64** **69**

Oberkampf

Parmentier

Cimetière du Père Lachaise

Voltaire

Bagnolet

76 BAGNOLET LOUISE MICHEL

PTE DE BAGNOLET

57

Montreuil

BASTILLE

91

Ledru Rollin

Faidherbe-Chaligny

ANTHÉON

Jussieu

84

NATION **26**

Porte de Montreuil

Cours de Vincennes

Vincennes

GARE D'AUSTERLITZ

61

Balabus

20 **63** **65**

GARE DE LYON

Daumesnil

PTE DE MONTEMPOIVRE

Porte Dorée

CHÂTEAU DE VINCENNES **56**

46

St-Mandé

Bois

Gobelins

PLACE D'ITALIE

64

Nationale

Pont de Tolbiac

PTE DE REUILLY

87

PC 2

86

46

SAINT-MANDÉ DEMI-LUNE

de

Tolbiac

62 **89**

BIBLIOTHÈQUE FRANÇOIS MITTERRAND

PTE DE CHARENTON

Vincennes

Patay Tolbiac

T3 PC2

27 PTE DE VITRY

83

Charenton-le-Pont

Charenton-Écoles

A4

67

ENTILLY

PTE D'IVRY

Porte d'Italie

Ivry-sur-Seine

tilly A6 b

47 Fort du Kremlin-Bicêtre

Le Kremlin-Bicêtre

24 ÉCOLE VÉTÉRINAIRE DE MAISONS-ALFORT

Maisons-Alfort

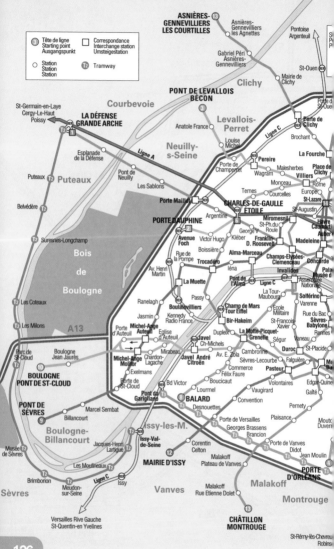